개념 × 서술형은
문제해결력 향상을 통해
개념을 완성시키는
솔루션입니다.

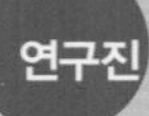

연구진

이동환_ 부산교육대학교 교수
이상욱_ 풍산자수학연구소 책임연구원

집필진

강연주_ 상도 뉴스터디, 풍산자수학연구소 연구위원
김규상_ 광명 더옳은수학, 풍산자수학연구소 연구위원
김명중_ 상도 뉴스터디, 풍산자수학연구소 연구위원
설성환_ 광명 더옳은수학, 풍산자수학연구소 연구위원
이지은_ 부산 하이매쓰, 풍산자수학연구소 연구위원
윤형은_ 상도 뉴스터디, 풍산자수학연구소 연구위원

풍산자

교과서 속 서술형을 빠르게!

개념 × 서술형

초등 수학 5-2

구성과 특징

개념 이해

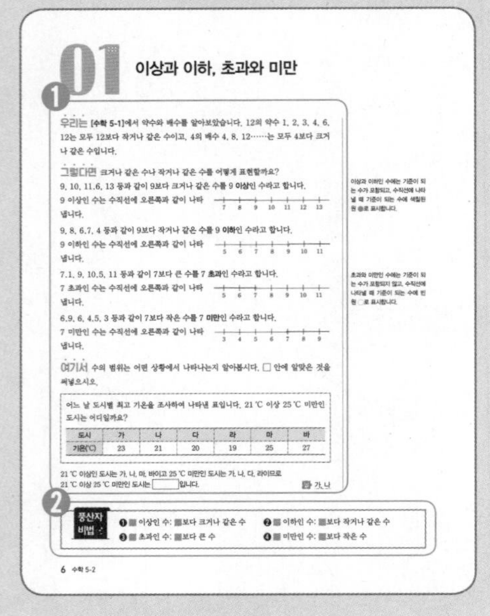
01 이상과 이하, 초과와 미만

풍산자 비법
❶ ■ 이상인 수: ■보다 크거나 같은 수 ❷ ■ 이하인 수: ■보다 작거나 같은 수
❸ ■ 초과인 수: ■보다 큰 수 ❹ ■ 미만인 수: ■보다 작은 수

❶ 이미 배운 내용으로 앞으로 배울 내용을 자연스럽게 연계한 개념학습으로 읽으면서 이해할 수 있도록 개념을 설명했어요.

❷ 읽으면서 이해한 개념을 풍산자만의 비법으로 한눈에 정리할 수 있도록 하였습니다.

3단계 문제 해결

1단계 따라 푸는 서술형

개념과 관련된 대표 서술형 문제를 따라 풀어보며 배운 개념을 문제에 적용해요.

2단계 따라 푸는 문장제 서술형

많은 학생들이 어려워하는 문장제 서술형만 모았어요. 따라 풀기로 공부한다면 쉽게 해결할 수 있어요.

초등 풍산자 개념×서술형의 포인트

1 읽으면서 이해되는 개념
이미 학습한 개념을 바탕으로 앞으로 배울 개념을 자연스럽게 배웁니다.

2 꼭 필요한 핵심 개념 수록
교과서 단원을 재구성한 핵심 개념으로 수학을 가장 빠르고 쉽게 익힙니다.

3 학습에 가장 효율적인 3단계 문제
서술형의 3단계 문제 구성으로 수학 실력이 단계적으로 상승합니다.

3단계 스스로 푸는 서술형

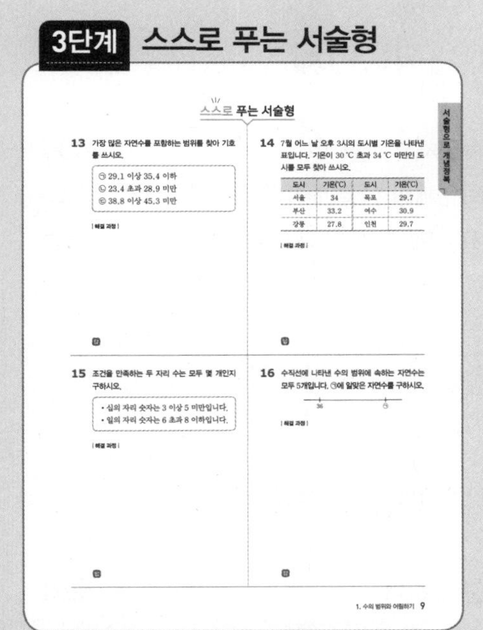

이제는 스스로 문제를 풀어볼까요? 문제 해결 과정을 스스로 서술해보며 개념 적용을 완벽하게 완성해요.

특별한 단계

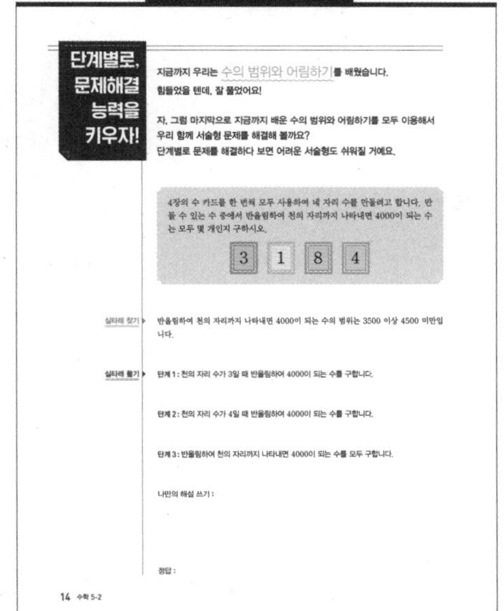

단원별로 배운 내용을 모두 이용해서 서술형 문제를 해결해 보세요. 단계별로 풀어보면 문제 해결 능력을 키울 수 있어요.

차례

1 ::: 수의 범위와 어림하기

2 ::: 분수의 곱셈

3 ::: 합동과 대칭

4 ::: 소수의 곱셈

5 ::: 직육면체

6 ::: 평균과 가능성

1

수의 범위와 어림하기

공부할 내용	공부한 날
01 이상과 이하, 초과와 미만	월 일
02 올림, 버림, 반올림	월 일

01 이상과 이하, 초과와 미만

우리는 **[수학 5-1]**에서 약수와 배수를 알아보았습니다. 12의 약수 1, 2, 3, 4, 6, 12는 모두 12보다 작거나 같은 수이고, 4의 배수 4, 8, 12……는 모두 4보다 크거나 같은 수입니다.

그렇다면 크거나 같은 수나 작거나 같은 수를 어떻게 표현할까요?

9, 10, 11.6, 13 등과 같이 9보다 크거나 같은 수를 9 **이상**인 수라고 합니다.

9 이상인 수는 수직선에 오른쪽과 같이 나타냅니다.

7 8 9 10 11 12 13

9, 8, 6.7, 4 등과 같이 9보다 작거나 같은 수를 9 **이하**인 수라고 합니다.

9 이하인 수는 수직선에 오른쪽과 같이 나타냅니다.

5 6 7 8 9 10 11

7.1, 9, 10.5, 11 등과 같이 7보다 큰 수를 7 **초과**인 수라고 합니다.

7 초과인 수는 수직선에 오른쪽과 같이 나타냅니다.

5 6 7 8 9 10 11

6.9, 6, 4.5, 3 등과 같이 7보다 작은 수를 7 **미만**인 수라고 합니다.

7 미만인 수는 수직선에 오른쪽과 같이 나타냅니다.

3 4 5 6 7 8 9

이상과 이하인 수에는 기준이 되는 수가 포함되고, 수직선에 나타낼 때 기준이 되는 수에 색칠된 원 ●로 표시합니다.

초과와 미만인 수에는 기준이 되는 수가 포함되지 않고, 수직선에 나타낼 때 기준이 되는 수에 빈 원 ○로 표시합니다.

여기서 수의 범위는 어떤 상황에서 나타나는지 알아봅시다. □ 안에 알맞은 것을 써넣으시오.

어느 날 도시별 최고 기온을 조사하여 나타낸 표입니다. 21 ℃ 이상 25 ℃ 미만인 도시는 어디일까요?

도시	가	나	다	라	마	바
기온(℃)	23	21	20	19	25	27

21 ℃ 이상인 도시는 가, 나, 마, 바이고 25 ℃ 미만인 도시는 가, 나, 다, 라이므로
21 ℃ 이상 25 ℃ 미만인 도시는 □ 입니다.

답 가, 나

풍산자 비법

❶ ■ 이상인 수: ■보다 크거나 같은 수
❷ ■ 이하인 수: ■보다 작거나 같은 수
❸ ■ 초과인 수: ■보다 큰 수
❹ ■ 미만인 수: ■보다 작은 수

따라 푸는 서술형

01 20 이상인 수는 모두 몇 개인지 구하시오.

18	21	30	5	14	20

| 해결 과정 |

20 이상인 수는 20보다 크거나 같은 수이므로
21, 30, 20의 ☐개입니다.

02 35 이하인 수는 모두 몇 개인지 구하시오.

32	35	43	50	22	40

| 해결 과정 |

03 38이 포함되는 수의 범위를 모두 찾아 기호를 쓰시오.

㉠ 38 이상인 수　㉡ 39 미만인 수
㉢ 37 이하인 수　㉣ 38 초과인 수

| 해결 과정 |

㉠ 36 37 38 39 40 41　㉡ 36 37 38 39 40 41
㉢ 36 37 38 39 40 41　㉣ 36 37 38 39 40 41

따라서 38이 포함되는 수의 범위는 ☐입니다.

04 50이 포함되는 수의 범위를 모두 찾아 기호를 쓰시오.

㉠ 49 이하인 수　㉡ 50 이상인 수
㉢ 51 미만인 수　㉣ 48 초과인 수

| 해결 과정 |

05 5 이상 10 미만인 자연수의 합을 구하시오.

| 해결 과정 |

5 이상 10 미만인 자연수는 5, 6, 7, 8, 9이므로
합은 $5+6+7+8+9=$☐입니다.

06 9 초과 14 이하인 자연수의 합을 구하시오.

| 해결 과정 |

따라 푸는 문장제 서술형

07 어느 고속도로에서는 시속 110 km 초과로 달리면 속도위반이라고 합니다. 속도위반인 차를 모두 찾아 쓰시오.

차	가	나	다	라	마
속도(km)	105	122	110	112	99

| 문제 이해 |

110 초과 ⇨ 110보다 큰 수

| 해결 과정 |

110 초과인 수는 110보다 큰 수이므로
속도위반인 차는 ☐ 입니다.

08 달리기 대회에서 기록이 12초 이하이면 대표로 뽑는다고 합니다. 대표로 뽑히는 학생은 누구인지 모두 쓰시오.

학생	예은	민섭	유나	주미	은후
기록(초)	12.1	12.9	11.9	13.5	10.8

| 문제 이해 |

12 이하 ⇨ ____________

| 해결 과정 |

09 영미와 서진이가 526 이상인 수를 3개씩 썼습니다. 잘못 쓴 학생은 누구인지 쓰시오.

〈영미〉
525, 526, 527

〈서진〉
526, 536, 546

| 문제 이해 |

526 이상 ⇨ 526보다 크거나 같은 수

| 해결 과정 |

526 이상인 수는 526보다 크거나 같은 수인데, 영미가 쓴 수 중에서 525는 526보다 작은 수이므로 잘못 쓴 학생은 ☐ 입니다.

10 지민이와 민주가 68 미만인 수를 3개씩 썼습니다. 잘못 쓴 학생은 누구인지 쓰시오.

〈지민〉
67, 57, 47

〈민주〉
68, 58, 48

| 문제 이해 |

68 미만 ⇨ ____________

| 해결 과정 |

11 3.5 kg인 물건을 0.5 kg인 상자에 넣어 택배를 보낼 때 택배 요금은 얼마인지 구하시오.

무게(kg)	요금(원)
2 이하	4000
2 초과 4 이하	5000
4 초과 6 이하	6000

| 문제 이해 |

택배의 무게 ⇨ $3.5+0.5$

| 해결 과정 |

택배의 무게는 $3.5+0.5=4$(kg)입니다. 4 kg은 2 kg 초과 4 kg 이하에 속하므로 택배 요금은 ☐ 원입니다.

12 1.5 kg인 물건을 0.6 kg인 상자에 넣어 택배를 보낼 때 택배 요금은 얼마인지 구하시오.

무게(kg)	요금(원)
1 이하	2500
1 초과 2 이하	3000
2 초과 3 이하	3500

| 문제 이해 |

택배의 무게 ⇨ ____________

| 해결 과정 |

스스로 푸는 서술형

13 가장 많은 자연수를 포함하는 범위를 찾아 기호를 쓰시오.

㉠ 29.1 이상 35.4 이하
㉡ 23.4 초과 28.9 미만
㉢ 38.8 이상 45.3 미만

| 해결 과정 |

답

14 7월 어느 날 오후 3시의 도시별 기온을 나타낸 표입니다. 기온이 30 ℃ 초과 34 ℃ 미만인 도시를 모두 찾아 쓰시오.

도시	기온(℃)	도시	기온(℃)
서울	34	목포	29.7
부산	33.2	여수	30.9
강릉	27.8	인천	29.7

| 해결 과정 |

답

15 조건을 만족하는 두 자리 수는 모두 몇 개인지 구하시오.

• 십의 자리 숫자는 3 이상 5 미만입니다.
• 일의 자리 숫자는 6 초과 8 이하입니다.

| 해결 과정 |

답

16 수직선에 나타낸 수의 범위에 속하는 자연수는 모두 5개입니다. ㉠에 알맞은 자연수를 구하시오.

| 해결 과정 |

답

02 올림, 버림, 반올림

우리는 [수학 4-1] 곱셈과 나눗셈에서 어림하여 계산하는 방법을 알아보았습니다.

그렇다면 수를 어림할 때 어떤 방법으로 할까요?

수를 어림하는 방법으로는 올림, 버림, 반올림이 있습니다.

올림은 구하려는 자리 아래 수를 올려서 나타내는 방법으로, 구하려는 자리 아래 수가 0이 아니면 구하려는 자리 수에 1을 더하고 그 아래 수를 모두 0으로 나타냅니다.

- 283을 올림하여 십의 자리까지 나타내기: 283 ⇨ 290
- 283을 올림하여 백의 자리까지 나타내기: 283 ⇨ 300
- 5.137을 올림하여 소수 첫째 자리까지 나타내기: 5.137 ⇨ 5.2

버림은 구하려는 자리 아래 수를 버려서 나타내는 방법으로, 구하려는 자리 아래 수를 모두 0으로 나타냅니다.

- 786을 버림하여 십의 자리까지 나타내기: 786 ⇨ 780
- 786을 버림하여 백의 자리까지 나타내기: 786 ⇨ 700
- 3.528을 버림하여 소수 첫째 자리까지 나타내기: 3.528 ⇨ 3.5

반올림은 구하려는 자리 바로 아래 자리의 숫자가 0, 1, 2, 3, 4이면 버리고 5, 6, 7, 8, 9이면 올리는 방법입니다.

- 326을 반올림하여 십의 자리까지 나타내기: 326 ⇨ 330
- 326을 반올림하여 백의 자리까지 나타내기: 326 ⇨ 300
- 4.516을 반올림하여 소수 첫째 자리까지 나타내기: 4.516 ⇨ 4.5

여기서 반올림은 어떤 상황에서 나타나는지 알아봅시다. □ 안에 알맞은 수를 써넣으시오.

> 재희의 키를 재었더니 145.7 cm이었습니다. 재희의 키를 반올림하여 일의 자리까지 나타내면 몇 cm일까요?

반올림하여 일의 자리까지 나타내려면 소수 첫째 자리에서 반올림하므로
재희의 키를 일의 자리까지 나타내면 □ cm입니다.

답 146

어림하여 계산하면 계산을 하기 전에 계산 결과의 값을 예상할 수 있고, 계산을 하고 난 다음 계산 결과가 맞았는지 확인할 수 있었습니다.

구하려는 자리 아래 수가 모두 0인 경우에는 올릴 것이 없으므로 그대로 씁니다.
⇨ 400의 백의 자리 아래를 올림하여 나타내면 400입니다.

구하려는 자리 아래 수가 모두 0인 경우에는 버릴 것이 없으므로 그대로 씁니다.
⇨ 400의 백의 자리 아래를 버림하여 나타내면 400입니다.

5 미만이면 버리고, 5 이상이면 올립니다.

풍산자 비법

❶ 올림: 구하려는 자리 아래 수를 올려서 나타내는 방법
❷ 버림: 구하려는 자리 아래 수를 버려서 나타내는 방법
❸ 반올림: 구하려는 자리 바로 아래 자리의 숫자가 0, 1, 2, 3, 4이면 버리고 5, 6, 7, 8, 9이면 올리는 방법

따라 푸는 서술형

01 올림하여 십의 자리까지 나타냈습니다. 잘못 나타낸 학생은 누구인지 구하시오.

민주: 2152 ⇨ 2160
서진: 4093 ⇨ 4100
지민: 3740 ⇨ 3750

| 해결 과정 |

십의 자리 아래 수를 올려서 나타냅니다.
2152 ⇨ 2160, 4093 ⇨ 4100, 3740 ⇨ 3740
따라서 잘못 나타낸 학생은 ☐입니다.

02 올림하여 소수 첫째 자리까지 나타냈습니다. 잘못 나타낸 학생은 누구인지 구하시오.

재희: 1.456 ⇨ 1.5
민서: 2.093 ⇨ 2.9
유림: 3.549 ⇨ 3.6

| 해결 과정 |

03 2741을 버림하여 나타낼 수 있는 수가 아닌 것을 찾아 기호를 쓰시오.

㉠ 2740 ㉡ 2000
㉢ 2800 ㉣ 2700

| 해결 과정 |

2741을 버림하여 십의 자리까지 나타내면 2740
2741을 버림하여 백의 자리까지 나타내면 2700
2741을 버림하여 천의 자리까지 나타내면 2000
따라서 2741을 버림하여 나타낼 수 있는 수가 아닌 것은 ☐입니다.

04 65.83을 버림하여 나타낼 수 있는 수가 아닌 것을 찾아 기호를 쓰시오.

㉠ 65 ㉡ 65.8
㉢ 60 ㉣ 65.9

| 해결 과정 |

05 반올림하여 백의 자리까지 나타낸 수가 가장 작은 수를 찾아 기호를 쓰시오.

㉠ 3354 ㉡ 3149
㉢ 3306 ㉣ 3276

| 해결 과정 |

반올림하여 백의 자리까지 나타내려면 십의 자리에서 반올림합니다.
㉠ 3354 ⇨ 3400 ㉡ 3149 ⇨ 3100
㉢ 3306 ⇨ 3300 ㉣ 3276 ⇨ 3300
따라서 반올림하여 백의 자리까지 나타낸 수가 가장 작은 것은 ☐입니다.

06 반올림하여 소수 첫째 자리까지 나타낸 수가 가장 큰 수를 찾아 기호를 쓰시오.

㉠ 2.24 ㉡ 2.15
㉢ 2.09 ㉣ 2.31

| 해결 과정 |

따라 푸는 문장제 서술형

07 목도리를 만드는데 털실 417 g이 필요합니다. 털실을 100 g 단위로 판매한다면 털실을 최소 몇 g 사야 하는지 구하시오.

| 문제 이해 |

100 g 단위로 판매 ⇨ 올림하여 백의 자리까지 나타내기

| 해결 과정 |

털실을 100 g 단위로 살 수 있으므로 필요한 털실의 양을 올림하여 백의 자리까지 나타내면 417 ⇨ 500

따라서 털실을 최소 ☐ g 사야 합니다.

08 문구점에서 공책 125권을 사려고 합니다. 공책을 10권씩 묶음으로만 판매한다면 공책을 최소 몇 권 사야 하는지 구하시오.

| 문제 이해 |

10권 묶음으로 판매 ⇨ ________________

| 해결 과정 |

09 딸기잼 한 병을 만드는 데 딸기 1000 g이 필요합니다. 딸기 24580 g으로 딸기잼을 몇 병 만들 수 있는지 구하시오.

| 문제 이해 |

한 병 만드는 데 1000 g 필요

⇨ 버림하여 천의 자리까지 나타내기

| 해결 과정 |

딸기잼 한 병을 만드는 데 1000 g이 필요하므로 딸기 양을 버림하여 천의 자리까지 나타내면 24580 ⇨ 24000

따라서 딸기잼을 $24000 \div 1000 =$ ☐(병) 만들 수 있습니다.

10 저금통에 10원짜리 동전이 612개 있습니다. 이 동전을 1000원짜리 지폐로 바꾼다면 얼마까지 바꿀 수 있는지 구하시오.

| 문제 이해 |

1000원짜리 지폐로 바꾼다

⇨ ________________

| 해결 과정 |

11 어느 도시의 인구는 623729명이라고 합니다. 이 도시의 인구를 천의 자리에서 반올림하면 몇 명인지 구하시오.

| 문제 이해 |

천의 자리에서 반올림 ⇨ 만의 자리까지 나타낸다.

| 해결 과정 |

623729 ⇨ 620000

따라서 이 도시의 인구를 천의 자리에서 반올림하면 ☐명입니다.

12 집에 있는 세탁기의 무게를 확인해 보니 12.5 kg이었습니다. 세탁기의 무게를 소수 첫째 자리에서 반올림하면 몇 kg인지 구하시오.

| 문제 이해 |

소수 첫째 자리에서 반올림 ⇨ ________________

| 해결 과정 |

스스로 푸는 서술형

13 어떤 자연수를 버림하여 십의 자리까지 나타내었더니 250이 되었습니다. 처음의 수가 될 수 있는 자연수는 모두 몇 개인지 구하시오.

| 해결 과정 |

답

14 백의 자리에서 반올림하여 나타내면 5000이 되는 자연수의 범위를 이상과 이하를 사용하여 나타내시오.

| 해결 과정 |

답

15 네 자리 수 3□29를 버림하여 천의 자리까지 나타낸 수와 백의 자리에서 반올림한 수가 같았습니다. □ 안에 들어갈 수 있는 수를 모두 구하시오.

| 해결 과정 |

답

16 어느 문구점에서는 스케치북을 10권씩 묶음으로만 팔며 한 묶음에 3000원이라고 합니다. 이 문구점에서 스케치북을 사서 학생 54명에게 한 권씩 나누어 주려면 필요한 돈은 얼마인지 구하시오.

| 해결 과정 |

답

단계별로, 문제해결 능력을 키우자!

지금까지 우리는 수의 범위와 어림하기를 배웠습니다.
힘들었을 텐데, 잘 풀었어요!

자, 그럼 마지막으로 지금까지 배운 수의 범위와 어림하기를 모두 이용해서 우리 함께 서술형 문제를 해결해 볼까요?
단계별로 문제를 해결하다 보면 어려운 서술형도 쉬워질 거예요.

4장의 수 카드를 한 번씩 모두 사용하여 네 자리 수를 만들려고 합니다. 만들 수 있는 수 중에서 반올림하여 천의 자리까지 나타내면 4000이 되는 수는 모두 몇 개인지 구하시오.

3	1	8	4

실타래 찾기 반올림하여 천의 자리까지 나타내면 4000이 되는 수의 범위는 3500 이상 4500 미만입니다.

실타래 풀기

단계 1 : 천의 자리 수가 3일 때 반올림하여 4000이 되는 수를 구합니다.

단계 2 : 천의 자리 수가 4일 때 반올림하여 4000이 되는 수를 구합니다.

단계 3 : 반올림하여 천의 자리까지 나타내면 4000이 되는 수를 모두 구합니다.

나만의 해설 쓰기 :

정답 :

2

분수의 곱셈

공부할 내용	공부한 날
03 (분수)×(자연수)	월 일
04 (자연수)×(분수)	월 일
05 (진분수)×(진분수)	월 일
06 (분수)×(분수)	월 일

03 (분수)×(자연수)

우리는 [수학 5-1] 분수의 덧셈과 뺄셈에서 $\frac{1}{3}+\frac{3}{4}$, $\frac{4}{5}-\frac{1}{3}$과 같은 분모가 다른 진분수의 덧셈과 뺄셈을 계산하는 방법을 알아보았습니다. 분모가 다른 진분수의 덧셈과 뺄셈은 두 분수를 통분하여 분모가 같은 분수로 고친 다음 분자끼리 계산하였습니다.

$\frac{1}{3}+\frac{3}{4}=\frac{4}{12}+\frac{9}{12}$
$=\frac{13}{12}=1\frac{1}{12}$
$\frac{4}{5}-\frac{1}{3}=\frac{12}{15}-\frac{5}{15}=\frac{7}{15}$

그렇다면 $\frac{2}{3}\times5$, $1\frac{1}{5}\times4$와 같은 (분수)×(자연수)는 어떻게 계산할까요?

(진분수)×(자연수)는 분수의 분모는 그대로 두고 분자와 자연수를 곱하여 계산할 수 있습니다.

$$\frac{2}{3}\times5=\frac{2}{3}+\frac{2}{3}+\frac{2}{3}+\frac{2}{3}+\frac{2}{3}=\frac{2\times5}{3}=\frac{10}{3}=3\frac{1}{3}$$

$\frac{5}{6}\times4$의 여러 가지 계산 방법

(1) 곱셈을 다 한 후에 약분

$\frac{5}{6}\times4=\frac{5\times4}{6}=\frac{\overset{10}{\cancel{20}}}{\underset{3}{\cancel{6}}}$
$=\frac{10}{3}=3\frac{1}{3}$

(2) 곱셈을 하는 과정에서 약분

$\frac{5}{\underset{3}{\cancel{6}}}\times\overset{2}{\cancel{4}}=\frac{10}{3}=3\frac{1}{3}$

(대분수)×(자연수)는 대분수를 가분수로 바꾼 후에 분수의 분모는 그대로 두고 분수의 분자와 자연수를 곱하여 계산하거나 대분수를 자연수와 진분수의 합으로 보고 다음과 같이 계산할 수 있습니다.

[방법 1] 대분수를 가분수로 바꾼 후 계산

$$1\frac{1}{5}\times4=\frac{6}{5}\times4=\frac{6\times4}{5}=\frac{24}{5}=4\frac{4}{5}$$

[방법 2] 대분수를 자연수와 진분수의 합으로 보고 계산

$$1\frac{1}{5}\times4=(1\times4)+\left(\frac{1}{5}\times4\right)=4+\frac{4}{5}=4\frac{4}{5}$$

여기서 (분수)×(자연수)는 어떤 상황에서 나타나는지 알아봅시다. □ 안에 알맞은 수를 써넣으시오.

우유가 $1\frac{1}{4}$ L씩 들어 있는 병이 6개 있습니다. 우유는 모두 몇 L일까요?

$1\frac{1}{4}\times6=\frac{5}{4}\times6=\frac{\overset{15}{\cancel{30}}}{\underset{2}{\cancel{4}}}=\frac{15}{2}=7\frac{1}{2}$이므로 우유는 모두 □ L입니다.

답 $7\frac{1}{2}$

풍산자 비법

❶ (진분수)×(자연수) ⇨ 분모는 그대로 두고 분자와 자연수를 곱한다.

❷ (대분수)×(자연수) ⇨ 대분수를 가분수로 바꾸어서 계산하거나
대분수를 자연수와 진분수의 합으로 보고 계산한다.

따라 푸는 서술형

01 계산 결과를 비교하여 ○ 안에 >, =, <를 알맞게 써넣으시오.

$\frac{4}{5}\times 11 \bigcirc 2\frac{1}{3}\times 4$

| 해결 과정 |

$\frac{4}{5}\times 11=\frac{4\times 11}{5}=\frac{44}{5}=8\frac{4}{5}$

$2\frac{1}{3}\times 4=\frac{7}{3}\times 4=\frac{7\times 4}{3}=\frac{28}{3}=9\frac{1}{3}$

따라서 ○ 안에 알맞은 것은 ☐입니다.

02 계산 결과를 비교하여 ○ 안에 >, =, <를 알맞게 써넣으시오.

$\frac{7}{10}\times 6 \bigcirc 1\frac{3}{4}\times 3$

| 해결 과정 |

03 ☐ 안에 들어갈 수 있는 가장 작은 자연수를 구하시오.

$\frac{5}{9}\times 7<\square$

| 해결 과정 |

$\frac{5}{9}\times 7=\frac{5\times 7}{9}=\frac{35}{9}=3\frac{8}{9}$이므로 ☐ 안에 들어갈 수 있는 가장 작은 자연수는 ☐입니다.

04 ☐ 안에 들어갈 수 있는 가장 큰 자연수를 구하시오.

$3\frac{1}{3}\times 2>\square$

| 해결 과정 |

05 한 변의 길이가 $\frac{5}{7}$ cm인 정사각형의 둘레는 몇 cm인지 구하시오.

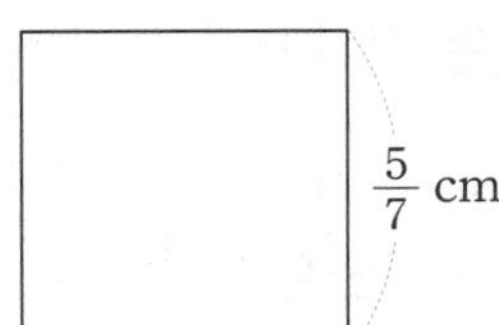

| 해결 과정 |

$\frac{5}{7}\times 4=\frac{5\times 4}{7}=\frac{20}{7}=\square$(cm)

따라서 한 변의 길이가 $\frac{5}{7}$ cm인 정사각형의 둘레는 ☐ cm입니다.

06 한 변의 길이가 $3\frac{1}{6}$ cm인 정삼각형의 둘레는 몇 cm인지 구하시오.

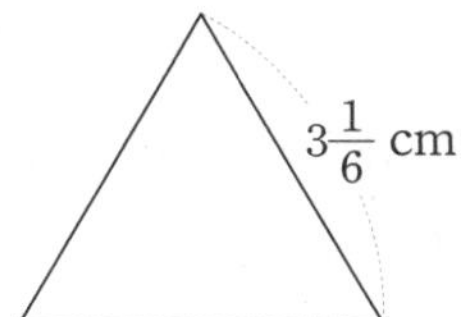

| 해결 과정 |

따라 푸는 문장제 서술형

07 재희가 우유를 하루에 $\frac{9}{14}$ L씩 일주일 동안 마셨습니다. 재희가 일주일 동안 마신 우유는 모두 몇 L인지 구하시오.

| 문제 이해 |

마신 우유의 양 ⇨ (하루에 마신 양)×(날수)

| 해결 과정 |

일주일은 7일이므로 $\frac{9}{14}\times 7=\frac{9\times 7}{14}=\frac{9}{2}=4\frac{1}{2}$

따라서 재희가 일주일 동안 마신 우유는 ☐ L입니다.

08 한 명이 피자 한 판의 $\frac{3}{7}$조각씩 먹으려고 합니다. 14명이 먹으려면 피자는 모두 몇 판 필요한지 구하시오.

| 문제 이해 |

필요한 피자의 양 ⇨ ____________

| 해결 과정 |

09 민주는 길이가 $3\frac{2}{5}$ m인 끈을 10개 가지고 있습니다. 민주가 가지고 있는 끈의 길이는 모두 몇 m인지 구하시오.

| 문제 이해 |

끈의 길이의 합 ⇨ (끈 한 개의 길이)×(끈의 수)

| 해결 과정 |

$3\frac{2}{5}\times 10=\frac{17}{5}\times 10=\frac{17\times 10}{5}=34$

따라서 민주가 가지고 있는 끈의 길이는 모두 ☐ m입니다.

10 준희는 무게가 $5\frac{3}{4}$ g인 추 8개를 가지고 있습니다. 준희가 가지고 있는 추의 무게는 모두 몇 g인지 구하시오.

| 문제 이해 |

추의 무게의 합 ⇨ ____________

| 해결 과정 |

11 영미는 자전거를 타고 10분에 $2\frac{1}{6}$ km를 갑니다. 같은 빠르기로 한 시간 동안 몇 km를 갈 수 있는지 구하시오.

| 문제 이해 |

한 시간 동안 간 거리 ⇨ (10분 동안 간 거리)×6

| 해결 과정 |

$2\frac{1}{6}\times 6=\frac{13}{6}\times 6=\frac{13\times 6}{6}=13$

따라서 한 시간 동안 ☐ km를 갈 수 있습니다.

12 지민이는 걷기 운동을 하는데 30분에 $1\frac{3}{4}$ km를 갑니다. 같은 빠르기로 두 시간 동안 몇 km를 갈 수 있는지 구하시오.

| 문제 이해 |

두 시간 동안 간 거리 ⇨ ____________

| 해결 과정 |

스스로 푸는 서술형

13 계산 결과가 자연수인 것을 찾아 기호를 쓰시오.

㉠ $\frac{3}{4}\times 6$　㉡ $\frac{5}{6}\times 10$　㉢ $\frac{7}{9}\times 18$

| 해결 과정 |

답

14 잘못 계산한 곳을 찾아 그 이유를 설명하고 바르게 계산하시오.

$$2\frac{2}{9}\times 4=2+\left(\frac{2}{9}\times 4\right)=2+\frac{8}{9}=2\frac{8}{9}$$

| 해결 과정 |

답

15 어떤 수에 2를 곱해야 할 것을 잘못하여 나누었더니 $1\frac{5}{6}$가 되었습니다. 바르게 계산한 값을 구하시오.

| 해결 과정 |

답

16 하루에 $1\frac{1}{4}$분씩 빨라지는 시계가 있습니다. 이 시계를 오늘 낮 12시에 정확히 맞추었다면, 8일 후 낮 12시에 이 시계는 오후 몇 시 몇 분을 가리키는지 구하시오.

| 해결 과정 |

답

04 (자연수)×(분수)

우리는 앞 단원에서 $\frac{2}{5}\times3$, $1\frac{1}{4}\times3$과 같은 (분수)×(자연수)를 계산하는 방법을 알아보았습니다. (진분수)×(자연수)는 분수의 분모는 그대로 두고 분자와 자연수를 곱하여 계산하였고, (대분수)×(자연수)는 대분수를 가분수로 바꾼 후에 분수의 분모는 그대로 두고 분수의 분자와 자연수를 곱하여 계산하거나 대분수를 자연수와 진분수의 합으로 보고 계산하였습니다.

$$\frac{2}{5}\times3=\frac{2\times3}{5}=\frac{6}{5}=1\frac{1}{5}$$

$$1\frac{1}{4}\times3=\frac{5}{4}\times3=\frac{5\times3}{4}=\frac{15}{4}=3\frac{3}{4}$$

$$1\frac{1}{4}\times3=(1\times3)+\left(\frac{1}{4}\times3\right)=3+\frac{3}{4}=3\frac{3}{4}$$

그렇다면 $7\times\frac{3}{8}$, $4\times2\frac{2}{3}$와 같은 (자연수)×(분수)는 어떻게 계산할까요?

(자연수)×(진분수)는 분수의 분모는 그대로 두고 자연수와 분자를 곱하여 계산할 수 있습니다. 또한, (자연수)×(대분수)는 대분수를 가분수로 바꾼 후에 분수의 분모는 그대로 두고 자연수와 분수의 분자를 곱하여 계산하거나 대분수를 자연수와 진분수의 합으로 보고 다음과 같이 계산할 수 있습니다.

자연수에 진분수를 곱하면 곱한 값은 원래의 수보다 작아지고, 자연수에 대분수를 곱한 값은 원래의 수보다 커집니다.

- $7\times\frac{3}{8}=\frac{7\times3}{8}=\frac{21}{8}=2\frac{5}{8}$
- $4\times2\frac{2}{3}=4\times\frac{8}{3}=\frac{4\times8}{3}=\frac{32}{3}=10\frac{2}{3}$
- $4\times2\frac{2}{3}=(4\times2)+\left(4\times\frac{2}{3}\right)=8+\frac{8}{3}=8+2\frac{2}{3}=10\frac{2}{3}$

$7\times\frac{3}{8}$은 7의 $\frac{3}{8}$입니다.

여기서 (자연수)×(분수)는 어떤 상황에서 나타나는지 알아봅시다. □ 안에 알맞은 수를 써넣으시오.

굵기가 일정한 철근 1 m의 무게는 3 kg입니다. 이 철근 $2\frac{2}{5}$ m의 무게는 몇 kg일까요?

$3\times2\frac{2}{5}=3\times\frac{12}{5}=\frac{36}{5}=7\frac{1}{5}$이므로 철근의 무게는 □ kg입니다.

답 $7\frac{1}{5}$

곱셈은 순서를 바꾸어 계산해도 결과가 같으므로 (자연수)×(분수)는 (분수)×(자연수)를 계산해도 됩니다.
즉, $4\times2\frac{2}{3}$와 $2\frac{2}{3}\times4$의 계산 결과는 같습니다.

풍산자 비법

❶ (자연수)×(진분수) ⇨ 분모는 그대로 두고 자연수와 분자를 곱한다.

❷ (자연수)×(대분수) ⇨ 대분수를 가분수로 바꾸어서 계산하거나
대분수를 자연수와 진분수의 합으로 보고 계산한다.

따라 푸는 서술형

01 ㉠과 ㉡을 계산한 값의 차를 구하시오.

㉠ $24\times\frac{9}{16}$　　㉡ $15\times\frac{4}{5}$

| 해결 과정 |

㉠ $24\times\frac{9}{16}=\frac{24\times9}{16}=\frac{27}{2}=13\frac{1}{2}$

㉡ $15\times\frac{4}{5}=\frac{15\times4}{5}=12$

따라서 ㉠−㉡$=13\frac{1}{2}-12=$☐입니다.

02 ㉠과 ㉡을 계산한 값의 합을 구하시오.

㉠ $12\times\frac{5}{8}$　　㉡ $14\times\frac{2}{7}$

| 해결 과정 |

03 가장 큰 수와 가장 작은 수의 곱을 구하시오.

5　　$3\frac{3}{4}$　　7　　$\frac{9}{14}$

| 해결 과정 |

가장 큰 수는 7, 가장 작은 수는 $\frac{9}{14}$이므로

가장 큰 수와 가장 작은 수의 곱은

$7\times\frac{9}{14}=\frac{7\times9}{14}=$☐입니다.

04 가장 큰 수와 가장 작은 수의 곱을 구하시오.

8　　$4\frac{4}{5}$　　12　　$3\frac{1}{6}$

| 해결 과정 |

05 ☐ 안에 들어갈 수 있는 자연수는 모두 몇 개인지 구하시오.

$10\times\frac{3}{4}<\square<16\times\frac{5}{8}$

| 해결 과정 |

$10\times\frac{3}{4}=\frac{10\times3}{4}=\frac{15}{2}=7\frac{1}{2}$

$16\times\frac{5}{8}=\frac{16\times5}{8}=10$

따라서 $7\frac{1}{2}<\square<10$이므로 ☐ 안에 들어갈 수 있는

자연수는 8, 9의 ☐개입니다.

06 ☐ 안에 들어갈 수 있는 자연수는 모두 몇 개인지 구하시오.

$6\times1\frac{4}{5}<\square<6\times2\frac{2}{3}$

| 해결 과정 |

따라 푸는 문장제 서술형

07 민서는 가지고 있는 사탕 30개 중에서 $\frac{3}{5}$을 먹었습니다. 민서가 먹은 사탕은 몇 개인지 구하시오.

| 문제 이해 |

먹은 사탕의 수 ⇨ (전체 사탕의 수)$\times\frac{3}{5}$

| 해결 과정 |

$30\times\frac{3}{5}=\frac{30\times3}{5}=18$

따라서 민서가 먹은 사탕은 □개입니다.

08 아버지의 몸무게는 64 kg이고 재희의 몸무게는 아버지의 몸무게의 $\frac{5}{8}$입니다. 재희의 몸무게는 몇 kg인지 구하시오.

| 문제 이해 |

재희의 몸무게 ⇨ ____________________

| 해결 과정 |

09 문구점에 지우개가 84개 있었습니다. 그중의 $\frac{3}{7}$을 팔았다면 문구점에 남아 있는 지우개는 몇 개인지 구하시오.

| 문제 이해 |

팔고 남은 지우개의 수 ⇨ (전체 지우개의 수)$\times\left(1-\frac{3}{7}\right)$

| 해결 과정 |

팔고 남은 지우개는 전체의 $1-\frac{3}{7}=\frac{4}{7}$입니다.

$84\times\frac{4}{7}=\frac{84\times4}{7}=48$

따라서 남아 있는 지우개는 □개입니다.

10 지민이네 반 학생은 24명입니다. 이 중에서 남학생이 전체의 $\frac{3}{8}$이라면 여학생은 몇 명인지 구하시오.

| 문제 이해 |

여학생의 수 ⇨ ____________________

| 해결 과정 |

11 굵기가 일정한 철근 1 m의 무게는 12 kg입니다. 이 철근 $2\frac{3}{4}$ m의 무게는 몇 kg인지 구하시오.

| 문제 이해 |

철근의 무게 ⇨ (철근 1 m의 무게)×(철근의 길이)

| 해결 과정 |

$12\times2\frac{3}{4}=12\times\frac{11}{4}=\frac{12\times11}{4}=33$

따라서 철근 $2\frac{3}{4}$ m의 무게는 □ kg입니다.

12 민주는 한 시간에 6 km를 달린다고 합니다. 민주가 같은 빠르기로 1시간 20분 동안 달린 거리는 몇 km인지 구하시오.

| 문제 이해 |

달린 거리 ⇨ ____________________

| 해결 과정 |

스스로 푸는 서술형

13 잘못 계산한 것을 찾아 기호를 쓰고 바르게 계산한 값을 구하시오.

㉠ $4\times2\frac{1}{8}=8\frac{1}{8}$

㉡ $8\times2\frac{3}{4}=22$

| 해결 과정 |

답

14 어느 가게에서 어제 하루 동안 주스를 $32\ \mathrm{L}$ 팔았습니다. 오늘은 어제 판 주스의 $1\frac{5}{8}$만큼 팔았다면 오늘 판 주스는 몇 L인지 구하시오.

| 해결 과정 |

답

15 75 cm 높이에서 공을 떨어뜨렸습니다. 공은 땅에 닿으면 떨어진 높이의 $\frac{3}{5}$만큼 튀어 오릅니다. 공이 땅에 한 번 닿았다가 튀어 올랐을 때의 높이는 몇 cm인지 구하시오.

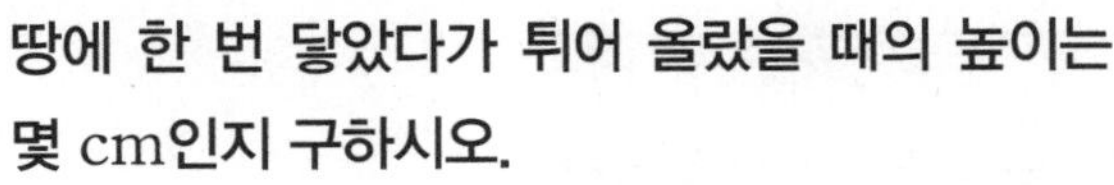

| 해결 과정 |

답

16 어떤 수는 18의 $\frac{5}{9}$입니다. 어떤 수의 $2\frac{3}{5}$은 얼마인지 구하시오.

| 해결 과정 |

답

05 (진분수)×(진분수)

우리는 앞 단원에서 $2\times\frac{3}{5}$, $3\times1\frac{1}{4}$과 같은 (자연수)×(분수)를 계산하는 방법을 알아보았습니다. (자연수)×(진분수)는 분수의 분모는 그대로 두고 자연수와 분자를 곱하여 계산하였고, (자연수)×(대분수)는 대분수를 가분수로 바꾼 후에 분수의 분모는 그대로 두고 자연수와 분수의 분자를 곱하여 계산하거나 대분수를 자연수와 진분수의 합으로 보고 계산하였습니다.

$2\times\frac{3}{5}=\frac{2\times3}{5}=\frac{6}{5}=1\frac{1}{5}$

$3\times1\frac{1}{4}=3\times\frac{5}{4}=\frac{3\times5}{4}$
$=\frac{15}{4}=3\frac{3}{4}$

$3\times1\frac{1}{4}=(3\times1)+\left(3\times\frac{1}{4}\right)$
$=3+\frac{3}{4}=3\frac{3}{4}$

그렇다면 $\frac{1}{3}\times\frac{1}{5}$, $\frac{4}{7}\times\frac{2}{5}$와 같은 (진분수)×(진분수)는 어떻게 계산할까요?

(단위분수)×(단위분수)는 분자끼리의 곱은 항상 1이므로 분자는 그대로 두고 분모끼리 곱하여 계산하고, (진분수)×(진분수)는 분모는 분모끼리 곱하고 분자는 분자끼리 곱하여 다음과 같이 계산합니다.

단위분수: 분자가 1인 분수

- $\frac{1}{3}\times\frac{1}{5}=\frac{1}{3\times5}=\frac{1}{15}$
- $\frac{4}{7}\times\frac{2}{5}=\frac{4\times2}{7\times5}=\frac{8}{35}$

또한, $\frac{2}{3}\times\frac{4}{5}\times\frac{1}{6}$과 같은 세 분수의 곱셈은 앞에서부터 두 분수씩 차례로 계산하거나 세 분수를 한꺼번에 분모는 분모끼리, 분자는 분자끼리 곱하여 다음과 같이 계산합니다.

- $\frac{2}{3}\times\frac{4}{5}\times\frac{1}{6}=\left(\frac{2}{3}\times\frac{4}{5}\right)\times\frac{1}{6}=\frac{8}{15}\times\frac{1}{6}=\frac{8}{90}=\frac{4}{45}$
- $\frac{2}{3}\times\frac{4}{5}\times\frac{1}{6}=\frac{2\times4\times1}{3\times5\times6}=\frac{8}{90}=\frac{4}{45}$

약분하는 순서에 따라 여러 가지 방법으로 계산할 수 있습니다.

여기서 (진분수)×(진분수)는 어떤 상황에서 나타나는지 알아봅시다. □ 안에 알맞은 수를 써넣으시오.

밀가루 $\frac{2}{5}$ kg 중에서 $\frac{3}{4}$을 사용했다면, 사용한 밀가루는 몇 kg일까요?

$\frac{2}{5}\times\frac{3}{4}=\frac{2\times3}{5\times4}=\frac{6}{20}=\frac{3}{10}$이므로 사용한 밀가루는 □ kg입니다.

답 $\frac{3}{10}$

풍산자 비법 (진분수)×(진분수) ⇨ 분모는 분모끼리, 분자는 분자끼리 곱한다.

따라 푸는 서술형

01 계산 결과가 더 큰 것을 찾아 기호를 쓰시오.

㉠ $\frac{5}{9}\times\frac{3}{10}$　　㉡ $\frac{3}{8}\times\frac{2}{3}$

| 해결 과정 |

㉠ $\frac{5}{9}\times\frac{3}{10}=\frac{5\times3}{9\times10}=\frac{1}{6}$

㉡ $\frac{3}{8}\times\frac{2}{3}=\frac{3\times2}{8\times3}=\frac{1}{4}$

따라서 계산 결과가 더 큰 것은 ☐입니다.

02 계산 결과가 더 작은 것을 찾아 기호를 쓰시오.

㉠ 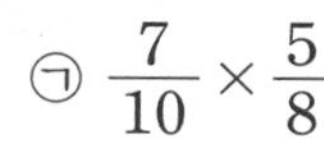 $\frac{7}{10}\times\frac{5}{8}$　　㉡ $\frac{3}{4}\times\frac{5}{6}$

| 해결 과정 |

03 계산 결과가 $\frac{5}{6}$보다 작은 것을 모두 찾아 기호를 쓰시오.

㉠ $\frac{5}{6}\times\frac{5}{9}$　　㉡ $\frac{6}{7}\times\frac{5}{6}$

㉢ $\frac{5}{6}\times2$　　㉣ $\frac{5}{6}\times\frac{11}{12}$

| 해결 과정 |

$\frac{5}{6}$에 1보다 작은 수를 곱하면 곱은 $\frac{5}{6}$보다 작습니다.

따라서 계산 결과가 $\frac{5}{6}$보다 작은 것은 ☐입니다.

04 계산 결과가 $\frac{3}{4}$보다 큰 것을 모두 찾아 기호를 쓰시오.

㉠ $\frac{3}{4}\times\frac{1}{2}$　　㉡ $3\times\frac{3}{4}$

㉢ $\frac{3}{4}\times4$　　㉣ $\frac{2}{7}\times\frac{3}{4}$

| 해결 과정 |

05 계산 결과를 비교하여 ○ 안에 >, =, <를 알맞게 써넣으시오.

$\frac{5}{6}\times\frac{1}{4}\times\frac{4}{5}$ ○ $\frac{3}{7}\times\frac{2}{5}\times\frac{5}{6}$

| 해결 과정 |

$\frac{5}{6}\times\frac{1}{4}\times\frac{4}{5}=\frac{5\times1\times4}{6\times4\times5}=\frac{1}{6}$

$\frac{3}{7}\times\frac{2}{5}\times\frac{5}{6}=\frac{3\times2\times5}{7\times5\times6}=\frac{1}{7}$

따라서 ○ 안에 알맞은 것은 ☐입니다.

06 계산 결과를 비교하여 ○ 안에 >, =, <를 알맞게 써넣으시오.

$\frac{5}{9}\times\frac{3}{7}\times\frac{14}{15}$ ○ $\frac{5}{12}\times\frac{8}{11}\times\frac{11}{15}$

| 해결 과정 |

따라 푸는 문장제 서술형

07 한 변의 길이가 $\frac{1}{4}$ m인 정사각형 모양의 액자가 있습니다. 이 액자의 넓이는 몇 m^2인지 구하시오.

| 문제 이해 |

정사각형의 넓이 ⇨ (한 변의 길이)×(한 변의 길이)

| 해결 과정 |

$\frac{1}{4}\times\frac{1}{4}=\frac{1}{4\times4}=\frac{1}{16}$

따라서 액자의 넓이는 ☐ m^2입니다.

08 가로가 $\frac{1}{3}$ m이고 세로가 $\frac{1}{5}$ m인 직사각형 모양의 종이가 있습니다. 이 종이의 넓이는 몇 m^2인지 구하시오.

| 문제 이해 |

직사각형의 넓이 ⇨ ____________

| 해결 과정 |

09 민주는 전체 우유의 $\frac{2}{3}$를 마셨고 영미는 민주가 마신 우유의 $\frac{3}{4}$만큼 마셨습니다. 영미는 전체 우유의 얼마만큼 마셨는지 구하시오.

| 문제 이해 |

영미가 마신 우유 ⇨ (민주가 마신 우유)×$\frac{3}{4}$

| 해결 과정 |

$\frac{2}{3}\times\frac{3}{4}=\frac{2\times3}{3\times4}=\frac{1}{2}$

따라서 영미는 전체 우유의 ☐ 만큼 마셨습니다.

10 서우는 전체 밀가루의 $\frac{4}{5}$를 사용하였고 지수는 서우가 사용한 밀가루의 $\frac{5}{8}$만큼 사용하였습니다. 지수는 전체 밀가루의 얼마만큼 사용하였는지 구하시오.

| 문제 이해 |

지수가 사용한 밀가루 ⇨ ____________

| 해결 과정 |

11 유림이는 리본 $\frac{7}{12}$ m 중에서 $\frac{4}{7}$를 사용하고 남은 리본의 $\frac{4}{5}$를 동생에게 주었습니다. 동생에게 준 리본은 몇 m인지 구하시오.

| 문제 이해 |

유림이가 사용하고 남은 리본 ⇨ $\frac{7}{12}\times\left(1-\frac{4}{7}\right)$

| 해결 과정 |

유림이가 사용하고 남은 리본은 전체의 $1-\frac{4}{7}=\frac{3}{7}$이므로 $\frac{7}{12}\times\frac{3}{7}=\frac{7\times3}{12\times7}=\frac{1}{4}$(m)입니다.

따라서 동생에게 준 리본은

$\frac{1}{4}\times\frac{4}{5}=\frac{1\times4}{4\times5}=$ ☐ (m)입니다.

12 민서는 물 $\frac{16}{21}$ L 중에서 $\frac{5}{6}$를 마셨고 남은 물의 $\frac{7}{8}$을 동생이 마셨습니다. 동생이 마신 물은 몇 L인지 구하시오.

| 문제 이해 |

민서가 마시고 남은 물 ⇨ ____________

| 해결 과정 |

스스로 푸는 서술형

13 가장 큰 수와 가장 작은 수의 곱을 구하시오.

$\frac{2}{3}$ $\frac{3}{4}$ $\frac{5}{8}$

| 해결 과정 |

답

14 □ 안에 들어갈 수 있는 자연수는 모두 몇 개인지 구하시오.

$\frac{1}{30} < \frac{1}{6} \times \frac{1}{\square}$

| 해결 과정 |

답

15 어떤 수에 $\frac{1}{4}$을 곱해야 할 것을 잘못하여 뺐더니 $\frac{8}{12}$이 되었습니다. 바르게 계산한 값을 구하시오.

| 해결 과정 |

답

16 예림이네 반 학생의 $\frac{2}{5}$는 여학생입니다. 여학생 중에서 $\frac{1}{2}$은 수학을 좋아하고, 그중에서 $\frac{1}{4}$은 안경을 썼습니다. 수학을 좋아하는 안경 쓴 여학생은 예림이네 반 전체 학생의 얼마인지 구하시오.

| 해결 과정 |

답

06 (분수)×(분수)

우리는 앞 단원에서 $\frac{3}{7}\times\frac{5}{6}$와 같은 (진분수)×(진분수)를 계산하는 방법을 알아보았습니다. (진분수)×(진분수)는 분모는 분모끼리 곱하고 분자는 분자끼리 곱하여 계산하였습니다.

$\frac{3}{7}\times\frac{5}{6}=\frac{3\times5}{7\times6}=\frac{\overset{5}{\cancel{15}}}{\underset{14}{\cancel{42}}}=\frac{5}{14}$

그렇다면 $3\frac{2}{3}\times1\frac{1}{5}$과 같은 (대분수)×(대분수)는 어떻게 계산할까요?

(대분수)×(대분수)는 대분수를 가분수로 바꾸어서 계산하거나 대분수를 자연수 부분과 진분수 부분으로 나누어서 다음과 같이 계산할 수 있습니다.

[방법 1] 대분수를 가분수로 바꾼 후 계산

$$3\frac{2}{3}\times1\frac{1}{5}=\frac{11}{3}\times\frac{6}{5}=\frac{11\times6}{3\times5}=\frac{66}{15}=\frac{22}{5}=4\frac{2}{5}$$

[방법 2] 대분수를 자연수 부분과 진분수 부분으로 나누어서 계산

$$3\frac{2}{3}\times1\frac{1}{5}=\left(3\frac{2}{3}\times1\right)+\left(3\frac{2}{3}\times\frac{1}{5}\right)=3\frac{2}{3}+\left(\frac{11}{3}\times\frac{1}{5}\right)$$
$$=3\frac{2}{3}+\frac{11}{15}=3\frac{10}{15}+\frac{11}{15}=4\frac{6}{15}=4\frac{2}{5}$$

곱셈을 하기 전에 약분을 하면 계산이 간단해 질 수 있습니다.

$3\frac{2}{3}\times1\frac{1}{5}=\frac{11}{\underset{1}{\cancel{3}}}\times\frac{\overset{2}{\cancel{6}}}{5}=\frac{22}{5}$
$=4\frac{2}{5}$

(자연수)×(분수), (분수)×(자연수)에서 자연수를 분수 형태인 $\frac{(자연수)}{1}$로 나타내면 분모는 분모끼리 곱하고 분자는 분자끼리 곱하여 다음과 같이 계산할 수 있습니다.

• $3\times\frac{2}{7}=\frac{3}{1}\times\frac{2}{7}=\frac{3\times2}{1\times7}=\frac{6}{7}$　　• $\frac{2}{11}\times5=\frac{2}{11}\times\frac{5}{1}=\frac{2\times5}{11\times1}=\frac{10}{11}$

3은 $\frac{3}{1}$으로 나타낼 수 있습니다. 즉, 자연수나 대분수는 모두 가분수 형태로 바꿀 수 있으므로 분수가 들어간 모든 곱셈은 진분수나 가분수 형태로 바꾼 후, 분모는 분모끼리 곱하고 분자는 분자끼리 곱하여 계산할 수 있습니다.

여기서 (대분수)×(대분수)는 어떤 상황에서 나타나는지 알아봅시다. □ 안에 알맞은 수를 써넣으시오.

민주는 오늘 하루 동안 물을 $1\frac{3}{4}$ L 마셨고, 영미는 민주가 마신 물의 양의 $1\frac{1}{3}$배만큼 마셨습니다. 영미가 마신 물의 양은 몇 L일까요?

$1\frac{3}{4}\times1\frac{1}{3}=\frac{7}{4}\times\frac{4}{3}=\frac{7}{3}=2\frac{1}{3}$이므로 영미가 마신 물의 양은 □ L입니다.　답 $2\frac{1}{3}$

풍산자 비법

(분수)×(분수) ⇨ 진분수나 가분수 형태로 바꾼 후,
분모는 분모끼리 곱하고 분자는 분자끼리 곱한다.

따라 푸는 서술형

01 ㉠과 ㉡을 계산한 값의 차를 구하시오.

㉠ $1\frac{4}{5} \times 3\frac{1}{3}$　　㉡ $2\frac{1}{4} \times 1\frac{3}{5}$

| 해결 과정 |

㉠ $1\frac{4}{5} \times 3\frac{1}{3} = \frac{9}{5} \times \frac{10}{3} = \frac{9 \times 10}{5 \times 3} = 6$

㉡ $2\frac{1}{4} \times 1\frac{3}{5} = \frac{9}{4} \times \frac{8}{5} = \frac{9 \times 8}{4 \times 5} = \frac{18}{5}$

따라서 ㉠과 ㉡을 계산한 값의 차는

㉠−㉡$=6-\frac{18}{5}=\frac{30}{5}-\frac{18}{5}=\frac{12}{5}=$□입니다.

02 ㉠과 ㉡을 계산한 값의 차를 구하시오.

㉠ $4\frac{2}{3} \times 2\frac{1}{4}$　　㉡ $2\frac{2}{5} \times 2\frac{1}{2}$

| 해결 과정 |

03 가장 큰 수와 가장 작은 수의 곱을 구하시오.

$3\frac{3}{4}$　　$2\frac{2}{5}$　　$1\frac{1}{9}$

| 해결 과정 |

가장 큰 수는 $3\frac{3}{4}$이고 가장 작은 수는 $1\frac{1}{9}$입니다.

따라서 두 수의 곱은

$3\frac{3}{4} \times 1\frac{1}{9} = \frac{15}{4} \times \frac{10}{9} = \frac{15 \times 10}{4 \times 9} = \frac{25}{6} =$□

입니다.

04 가장 큰 수와 가장 작은 수의 곱을 구하시오.

$1\frac{3}{4}$　　$2\frac{1}{6}$　　$2\frac{2}{5}$

| 해결 과정 |

05 직사각형에서 색칠한 부분의 넓이는 몇 cm^2인지 구하시오.

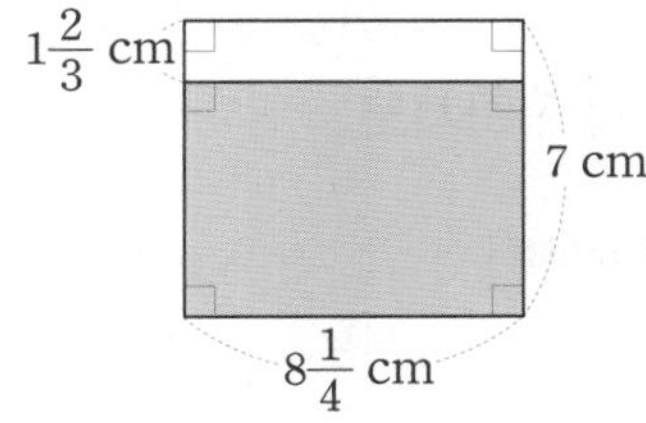

| 해결 과정 |

색칠한 부분의 세로는 $7-1\frac{2}{3}=6\frac{3}{3}-1\frac{2}{3}=5\frac{1}{3}$

이므로 색칠한 부분의 넓이는

$8\frac{1}{4} \times 5\frac{1}{3} = \frac{33}{4} \times \frac{16}{3} = \frac{33 \times 16}{4 \times 3} =$□$(cm^2)$입니다.

06 직사각형에서 색칠한 부분의 넓이는 몇 cm^2인지 구하시오.

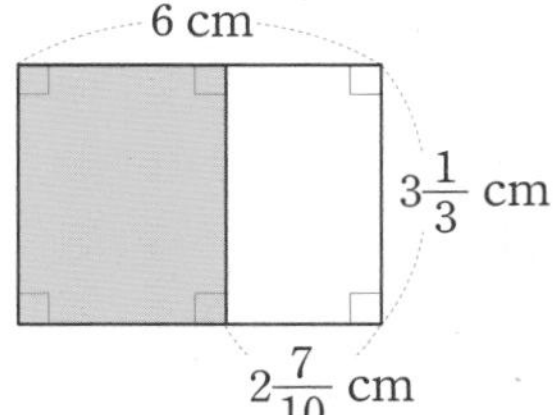

| 해결 과정 |

따라 푸는 문장제 서술형

07 민주는 물을 $1\frac{1}{3}$ L 마셨고, 지민이는 민주가 마신 물의 양의 $1\frac{1}{8}$배만큼 마셨습니다. 지민이가 마신 물의 양은 몇 L인지 구하시오.

| 문제 이해 |

지민이가 마신 물의 양 ⇨ (민주가 마신 물의 양)$\times 1\frac{1}{8}$

| 해결 과정 |

$1\frac{1}{3}\times 1\frac{1}{8}=\frac{4}{3}\times\frac{9}{8}=\frac{4\times 9}{3\times 8}=\frac{3}{2}=1\frac{1}{2}$

따라서 지민이가 마신 물의 양은 □ L입니다.

08 영미는 $2\frac{4}{5}$ km를 걸었고, 서진이는 영미가 걸은 거리의 $1\frac{3}{7}$배만큼 걸었습니다. 서진이가 걸은 거리는 몇 km인지 구하시오.

| 문제 이해 |

서진이가 걸은 거리 ⇨ ____________

| 해결 과정 |

09 1분에 $2\frac{2}{7}$ L씩 물이 나오는 수도에서 $2\frac{3}{4}$분 동안 받은 물은 몇 L인지 구하시오.

| 문제 이해 |

수도에서 받은 물의 양 ⇨ (1분 동안 나오는 물의 양)×(시간)

| 해결 과정 |

$2\frac{2}{7}\times 2\frac{3}{4}=\frac{16}{7}\times\frac{11}{4}=\frac{16\times 11}{7\times 4}=\frac{44}{7}=6\frac{2}{7}$

따라서 $2\frac{3}{4}$분 동안 받은 물은 □ L입니다.

10 1분에 $5\frac{1}{4}$ m씩 움직이는 장난감 자동차가 $2\frac{6}{7}$분 동안 움직인 거리는 몇 m인지 구하시오.

| 문제 이해 |

장난감 자동차가 움직인 거리 ⇨ ____________

| 해결 과정 |

11 욕실 바닥에 한 변의 길이가 $2\frac{1}{4}$ cm인 정사각형 모양의 타일 16장을 겹치지 않게 이어 붙였습니다. 타일을 붙인 부분의 넓이는 몇 cm^2인지 구하시오.

| 문제 이해 |

타일을 붙인 부분의 넓이

⇨ (타일 1개의 넓이)×(타일의 개수)

| 해결 과정 |

타일 1개의 넓이는 $2\frac{1}{4}\times 2\frac{1}{4}$이고 타일의 개수는 16장이므로 타일을 붙인 부분의 넓이는

$2\frac{1}{4}\times 2\frac{1}{4}\times 16=\frac{9}{4}\times\frac{9}{4}\times 16=$ □ (cm^2)

입니다.

12 교실 벽에 한 변의 길이가 $6\frac{2}{3}$ cm인 정사각형 모양의 색종이 18장을 겹치지 않게 이어 붙였습니다. 색종이를 붙인 부분의 넓이는 몇 cm^2인지 구하시오.

| 문제 이해 |

색종이를 붙인 부분의 넓이

⇨ ____________

| 해결 과정 |

스스로 푸는 서술형

13 계산 결과를 비교하여 ○ 안에 >, =, <를 알맞게 써넣으시오.

$$5\frac{3}{5}\times1\frac{3}{7} \bigcirc 1\frac{4}{7}\times3\frac{2}{11}$$

| 해결 과정 |

답

14 □ 안에 들어갈 수 있는 자연수는 모두 몇 개인지 구하시오.

$$4\frac{3}{8}\times1\frac{1}{7}>\square\frac{1}{3}$$

| 해결 과정 |

답

15 3장의 수 카드를 모두 한 번씩 사용하여 만들 수 있는 가장 큰 대분수와 가장 작은 대분수의 곱을 구하시오.

| 해결 과정 |

답

16 한 변의 길이가 $2\frac{2}{3}$ cm인 정사각형이 있습니다. 이 정사각형의 가로는 $1\frac{1}{10}$배 하고 세로는 $1\frac{1}{2}$배 하여 새로운 직사각형을 만들었습니다. 새로 만든 직사각형의 넓이는 몇 cm^2인지 구하시오.

| 해결 과정 |

답

단계별로, 문제해결 능력을 키우자!

지금까지 우리는 분수의 곱셈을 배웠습니다.
힘들었을 텐데, 잘 풀었어요!

자, 그럼 마지막으로 지금까지 배운 분수의 곱셈을 모두 이용해서
우리 함께 서술형 문제를 해결해 볼까요?
단계별로 문제를 해결하다 보면 어려운 서술형도 쉬워질 거예요.

그림은 정사각형의 각 변의 가운데 점을 이어서 정사각형을 만들고, 또 그 정사각형의 각 변의 가운데 점을 이어서 정사각형을 만든 것입니다. 색칠한 부분의 넓이를 몇 cm^2인지 구하시오.

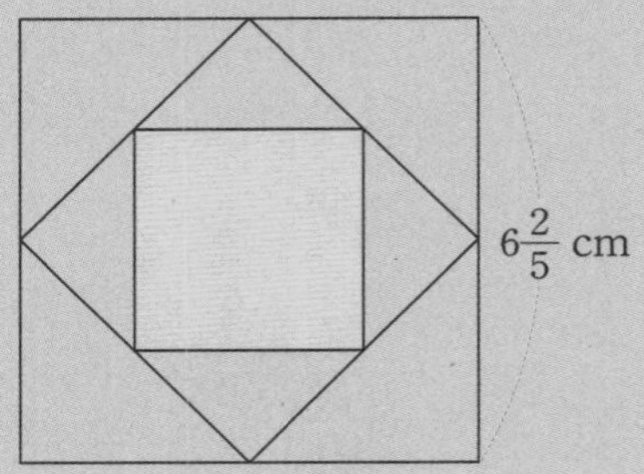

실타래 찾기 ▶ 각 변의 가운데 점을 이어서 만든 정사각형의 넓이는 처음 정사각형의 넓이의 $\frac{1}{2}$입니다.

실타래 풀기 ▶ **단계 1 :** 처음 도형의 넓이를 구합니다.

단계 2 : 도형의 넓이가 줄어드는 규칙을 구합니다.

단계 3 : 색칠한 부분의 넓이를 구합니다.

나만의 해설 쓰기 :

정답 :

3

합동과 대칭

공부할 내용	공부한 날
07 도형의 합동	월 일
08 선대칭도형	월 일
09 점대칭도형	월 일

07 도형의 합동

우리는 **[수학 4-1]** 평면도형의 이동에서 평면도형의 밀기, 뒤집기, 돌리기를 알아보았습니다. 평면도형을 밀거나 뒤집거나 돌리면 도형의 위치와 방향은 바뀌지만 모양과 크기는 변하지 않았습니다.

그렇다면 모양과 크기가 같은 두 도형을 무엇이라고 할까요?

모양과 크기가 같아서 포개었을 때 완전히 겹치는 두 도형을 서로 **합동**이라고 합니다.

서로 합동인 두 도형을 완전히 포개었을 때, 겹치는 점을 **대응점**, 겹치는 변을 **대응변**, 겹치는 각을 **대응각**이라고 합니다.

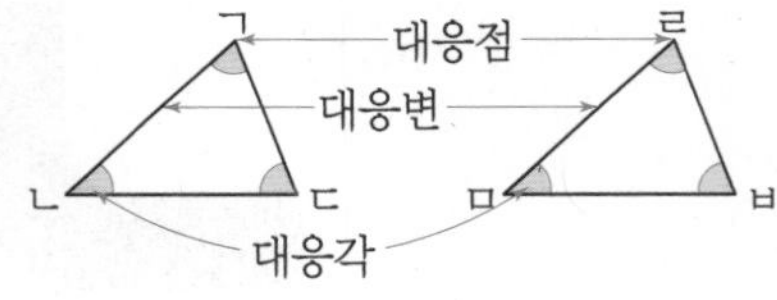

합동인 도형에서 대응변의 길이는 서로 같고, 대응각의 크기도 서로 같습니다.

모양은 같지만 크기가 다른 두 도형은 합동이 아닙니다.

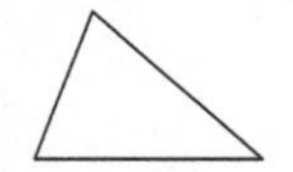

두 사각형이 합동이면

- 대응변의 길이는 서로 같으므로
  (변 ㄱㄴ)=(변 ㅁㅂ), (변 ㄴㄷ)=(변 ㅂㅅ)
  (변 ㄷㄹ)=(변 ㅅㅇ), (변 ㄹㄱ)=(변 ㅇㅁ)
  즉, 변 ㅁㅂ이 5 cm이므로 변 ㄱㄴ도 5 cm이고,
  변 ㄴㄷ이 8 cm이므로 변 ㅂㅅ도 8 cm입니다.
- 대응각의 크기는 서로 같으므로
  (각 ㄱㄴㄷ)=(각 ㅁㅂㅅ), (각 ㄴㄷㄹ)=(각 ㅂㅅㅇ)
  (각 ㄷㄹㄱ)=(각 ㅅㅇㅁ), (각 ㄹㄱㄴ)=(각 ㅇㅁㅂ)
  즉, 각 ㄴㄷㄹ이 60°이므로 각 ㅂㅅㅇ도 60°이고,
  각 ㅁㅂㅅ이 70°이므로 각 ㄱㄴㄷ도 70°입니다.

ㄱ ㄹ ㄴ ㄷ 60° 8 cm ㅁ ㅇ ㅂ ㅅ 5 cm 70°

여기서 합동이 되지 않는 경우를 알아봅시다. □ 안에 알맞은 것을 써넣으시오.

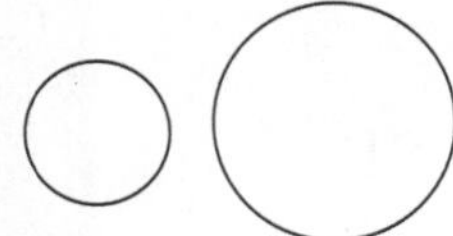

모양과 크기가 같아서 포개었을 때 완전히 겹치는 두 도형을 서로 합동이라고 합니다. 두 원은 모양은 같지만 □가 다르므로 합동이 아닙니다.

답 크기

풍산자 비법 합동인 도형에서 대응변의 길이는 서로 같고, 대응각의 크기도 서로 같다.

따라 푸는 서술형

01 두 삼각형은 합동입니다. 변 ㄱㄴ의 길이와 각 ㄱㄴㄷ의 크기를 구하시오.

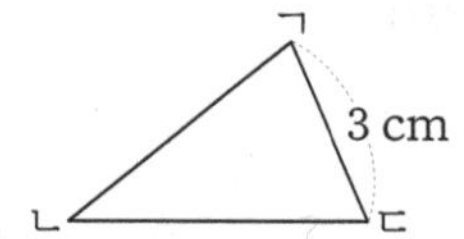

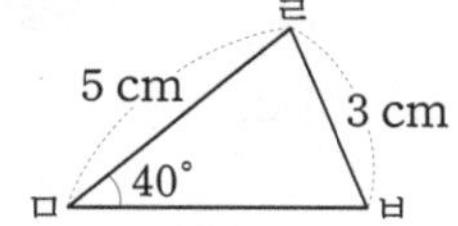

| 해결 과정 |

두 도형이 합동일 때 대응변의 길이와 대응각의 크기는 각각 서로 같으므로

(변 ㄱㄴ)=(변 ㄹㅁ)=☐ cm

(각 ㄱㄴㄷ)=(각 ㄹㅁㅂ)=☐°

02 두 사각형은 합동입니다. 변 ㄱㄴ의 길이와 각 ㅇㅅㅂ의 크기를 구하시오.

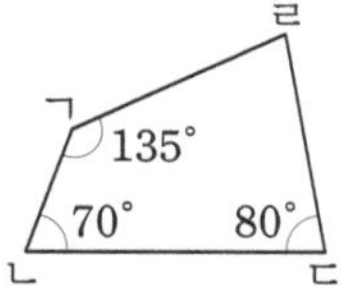

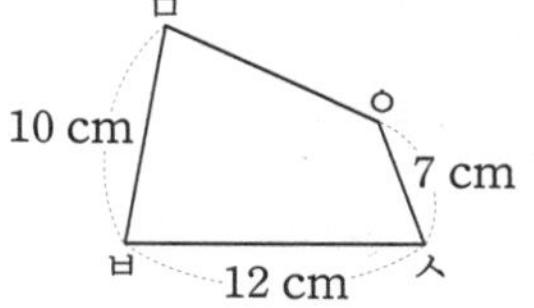

| 해결 과정 |

03 두 삼각형은 합동입니다. 삼각형 ㄱㄴㄷ의 둘레는 몇 cm인지 구하시오.

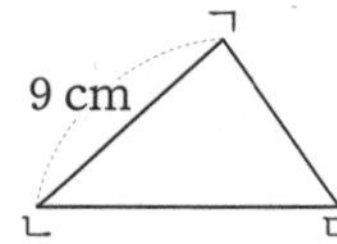

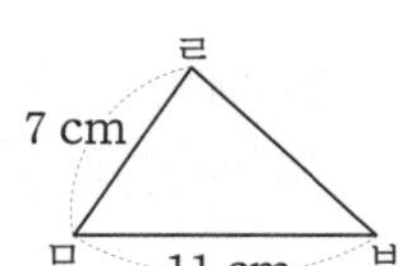

| 해결 과정 |

(변 ㄱㄷ)=(변 ㄹㅁ)=7 cm이고

(변 ㄴㄷ)=(변 ㅂㅁ)=11 cm입니다.

따라서 삼각형 ㄱㄴㄷ의 둘레는

9+7+11=☐(cm)입니다.

04 두 삼각형은 합동입니다. 삼각형 ㄹㅁㅂ의 둘레는 몇 cm인지 구하시오.

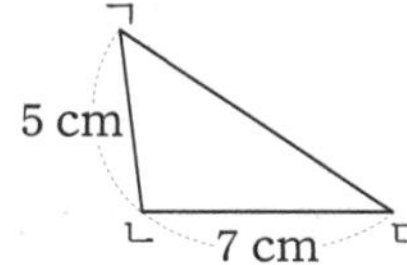

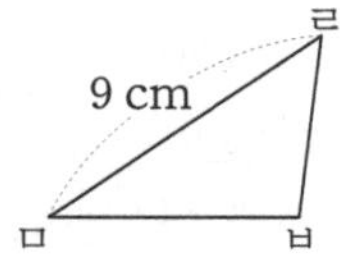

| 해결 과정 |

05 두 직각삼각형은 합동입니다. 각 ㅁㄹㅂ의 크기를 구하시오.

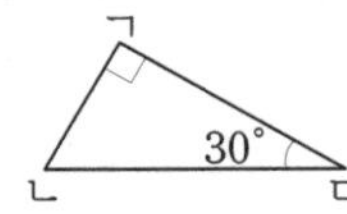

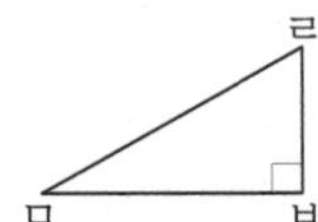

| 해결 과정 |

각 ㅁㄹㅂ의 대응각은 각 ㄷㄴㄱ입니다.

각 ㄷㄴㄱ은 $180°-(90°+30°)=60°$입니다.

따라서 각 ㅁㄹㅂ은 ☐°입니다.

06 두 이등변삼각형은 합동입니다. 각 ㄹㅂㅁ의 크기를 구하시오.

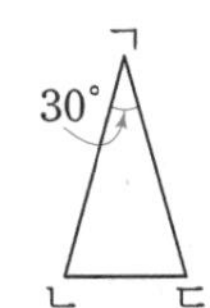

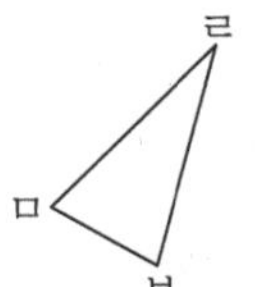

| 해결 과정 |

따라 푸는 문장제 서술형

07 두 도형이 서로 합동인지 합동이 아닌지 판단하고 그 이유를 설명하시오.

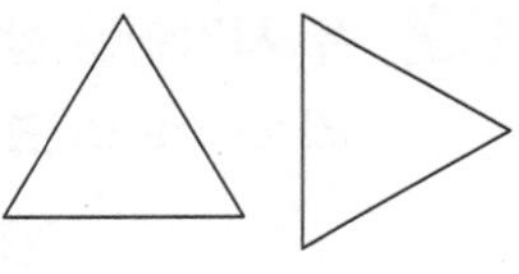

| 문제 이해 |

합동인 도형 ⇨ 모양과 크기가 같다.

| 해결 과정 |

두 도형은 서로 [　　　]입니다.
그 이유는 두 도형은 모양과 크기가 같기 때문입니다.

08 두 도형이 서로 합동인지 합동이 아닌지 판단하고 그 이유를 설명하시오.

| 문제 이해 |

합동인 도형 ⇨ ________________

| 해결 과정 |

09 마름모를 점선을 따라 잘랐을 때 만들어지는 두 도형이 서로 합동이 되는 점선을 모두 찾아 기호를 쓰시오.

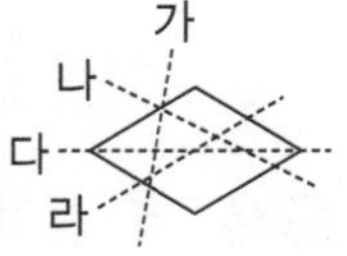

| 문제 이해 |

마름모를 잘랐을 때 합동이 되는 경우
⇨ 두 대각선이 만나는 점을 지나는 직선으로 자를 때

| 해결 과정 |

마름모의 두 대각선이 만나는 점을 지나는 직선으로 잘랐을 때 만들어지는 두 도형이 서로 합동이 됩니다.
따라서 점선을 따라 접었을 때 만들어지는 두 도형이 서로 합동이 되는 점선은 [　　　]입니다.

10 원을 점선을 따라 잘랐을 때 만들어지는 두 도형이 서로 합동이 되는 점선을 모두 찾아 기호를 쓰시오.

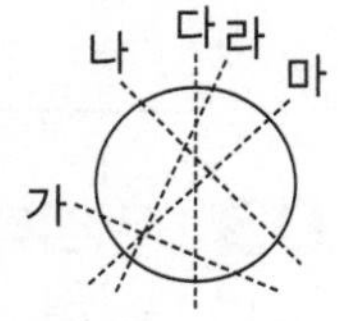

| 문제 이해 |

원을 잘랐을 때 합동이 되는 경우
⇨ ________________

| 해결 과정 |

11 민주가 도형의 합동에 대해 이야기한 것이 맞는지, 틀린지 말해 보시오.

> 둘레가 같은 두 정사각형은 서로 합동이야.

| 문제 이해 |

두 정사각형
⇨ 모양은 항상 같으므로 크기가 같으면 합동

| 해결 과정 |

두 정사각형의 모양은 항상 같고, 두 정사각형의 둘레가 같으면 한 변의 길이도 같으므로 크기도 같습니다.
따라서 둘레가 같은 두 정사각형은 서로 합동이 되므로 민주가 이야기한 것은 [　　　].

12 영미가 도형의 합동에 대해 이야기한 것이 맞는지, 틀린지 말해 보시오.

> 지름이 같은 두 원은 서로 합동이야.

| 문제 이해 |

두 원
⇨ ________________

| 해결 과정 |

스스로 푸는 서술형

13 두 사각형은 합동입니다. 사각형 ㄱㄴㄷㄹ의 둘레가 43 cm일 때, 변 ㅁㅂ은 몇 cm인지 구하시오.

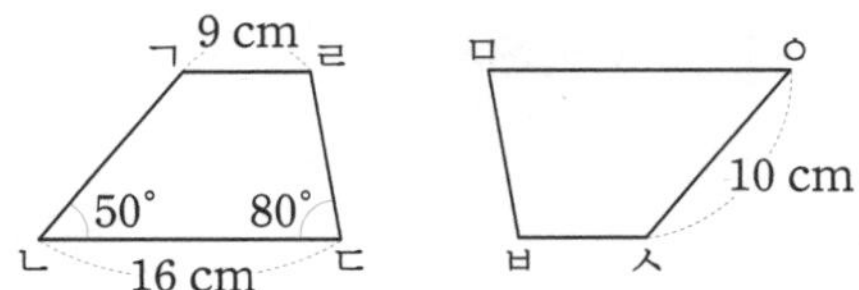

| 해결 과정 |

답

14 직사각형 ㄱㄴㄷㄹ과 직사각형 ㅇㅁㅂㅅ은 합동입니다. 직사각형 ㄱㄴㄷㄹ의 넓이는 몇 cm^2인지 구하시오.

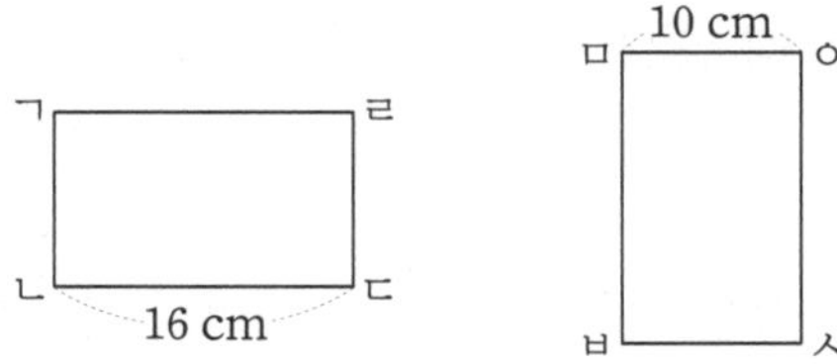

| 해결 과정 |

답

15 삼각형 ㄱㄴㄷ과 삼각형 ㄷㅁㄹ은 합동입니다. 선분 ㄱㅁ은 몇 cm인지 구하시오.

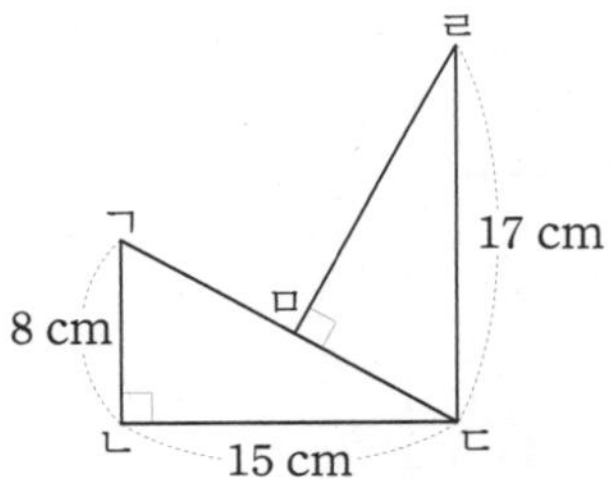

| 해결 과정 |

답

16 지민이와 서진이는 각자 가지고 있는 도형을 합동이 되도록 두 조각으로 자르려고 합니다. 직선으로 자를 때 자르는 방법이 더 많은 도형을 가지고 있는 학생은 누구인지 쓰시오.

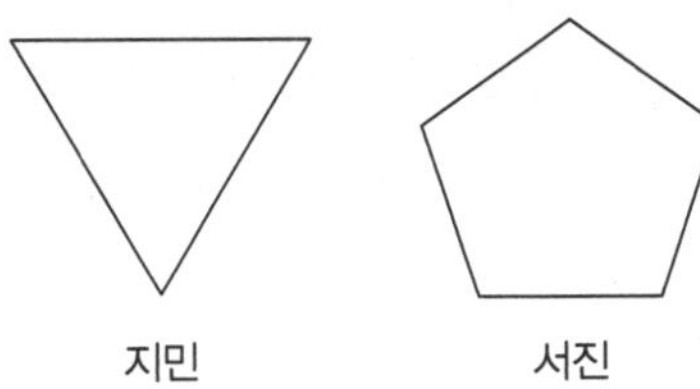

| 해결 과정 |

답

08 선대칭도형

우리는 앞 단원에서 도형의 합동에 대해 알아보았습니다. 모양과 크기가 같아서 포개었을 때, 완전히 겹치는 두 도형을 서로 합동이라고 하였습니다. 합동인 도형에서 대응변의 길이와 대응각의 크기는 각각 서로 같았습니다.

그렇다면 한 직선을 따라 접어서 완전히 겹치는 도형을 무엇이라고 할까요?

한 직선을 따라 접어서 완전히 겹치는 도형을 **선대칭도형**이라고 합니다. 이때 그 직선을 **대칭축**이라고 합니다. 대칭축을 따라 포개었을 때 겹치는 점을 **대응점**, 겹치는 변을 **대응변**, 겹치는 각을 **대응각**이라고 합니다.

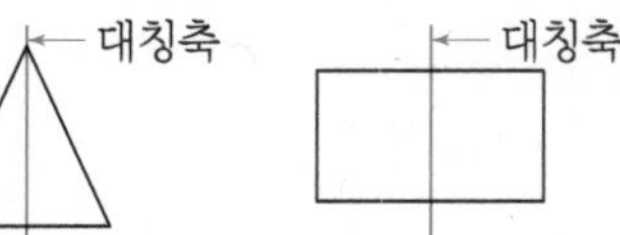

선대칭도형에서 대칭축으로 나누어진 두 도형은 서로 합동입니다.

선대칭도형에는 다음과 같은 성질이 있습니다.

- 대응변의 길이와 대응각의 크기는 각각 같습니다.
  (변 ㄱㄴ)=(변 ㅁㄹ), (변 ㄴㄷ)=(변 ㄹㄷ)
  (변 ㄱㅂ)=(변 ㅁㅂ),
  (각 ㅂㄱㄴ)=(각 ㅂㅁㄹ), (각 ㄱㄴㄷ)=(각 ㅁㄹㄷ)
- 대응점을 이은 선분은 대칭축과 수직으로 만납니다.
  (각 ㄱㅅㅂ)=(각 ㅁㅅㅂ)=90°, (각 ㄴㅇㄷ)=(각 ㄹㅇㄷ)=90°
- 대칭축은 대응점을 이은 선분을 이등분하므로 각각의 대응점에서 대칭축까지의 거리는 같습니다.
  (선분 ㄱㅅ)=(선분 ㅁㅅ), (선분 ㄴㅇ)=(선분 ㄹㅇ)

선대칭도형을 그릴 때에는 먼저 선대칭도형의 대칭축을 중심으로 각 점의 대응점을 찾아 표시한 후, 대응점을 차례로 이어 선대칭도형을 완성합니다.

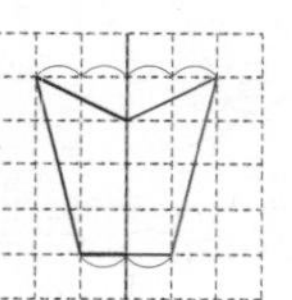

대칭축 위에 있는 도형의 꼭짓점은 대응점이 그 점과 같습니다.

여기서 선대칭도형의 대칭축의 개수를 알아봅시다. □ 안에 알맞은 것을 써넣으시오.

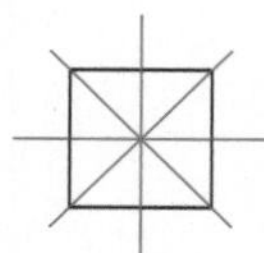

정사각형은 선대칭도형이고 대칭축을 그어 보면 그림과 같이 대칭축은 4개입니다.

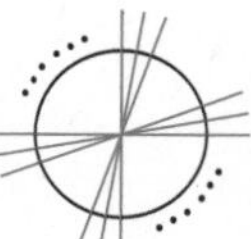

원은 [ ] 을 지나는 어떤 직선을 따라 접어도 완전히 겹쳐지므로 원의 대칭축은 수없이 많습니다.

답 원의 중심

대칭축은 선대칭도형의 모양에 따라 1개일 수도 있고 여러 개일 수도 있습니다.

풍산자 비법

선대칭도형 ⇨ 한 직선을 따라 접어서 완전히 겹치는 도형

따라 푸는 서술형

01 선대칭도형을 모두 고르시오.

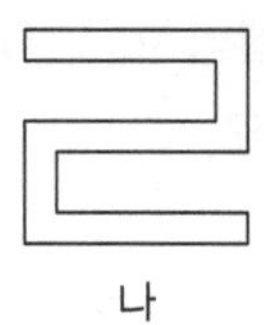

가　　나　　다

| 해결 과정 |

한 직선을 따라 접어서 완전히 겹치는 도형을 찾습니다.
도형 [ ]와 [ ]는 오른쪽 그림과 같이 한 직선을 따라 접으면 완전히 겹치므로 선대칭도형입니다.

02 선대칭도형을 모두 고르시오.

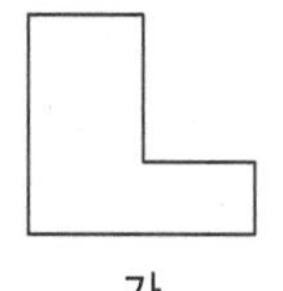
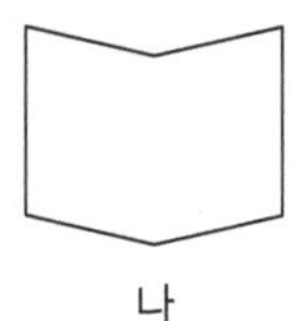
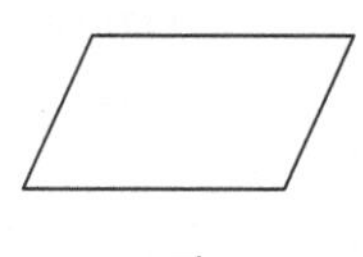

가　　나　　다

| 해결 과정 |

03 선분 ㄱㄹ을 대칭축으로 하는 선대칭도형입니다. 변 ㄱㄷ의 길이와 각 ㄱㄴㄹ의 크기를 구하시오.

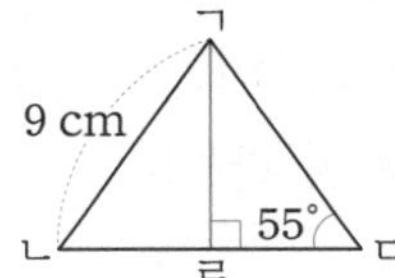

| 해결 과정 |

선대칭도형에서 대응변의 길이와 대응각의 크기는 각각 같으므로
(변 ㄱㄷ)=(변 ㄱㄴ)=[ ] cm,
(각 ㄱㄴㄹ)=(각 ㄱㄷㄹ)=[ ]°입니다.

04 선분 ㄱㄹ을 대칭축으로 하는 선대칭도형입니다. 변 ㄴㄹ의 길이와 각 ㄱㄴㄹ의 크기를 구하시오.

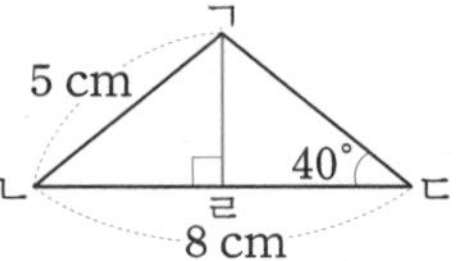

| 해결 과정 |

05 선분 ㅅㅇ을 대칭축으로 하는 선대칭도형입니다. 주어진 도형의 둘레는 몇 cm인지 구하시오.

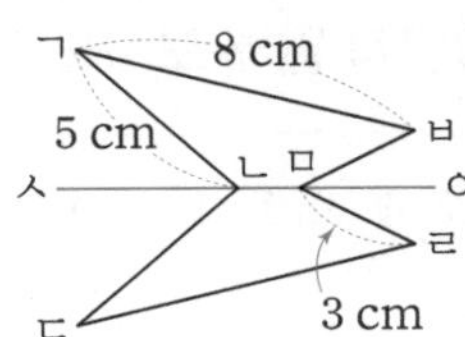

| 해결 과정 |

선대칭도형에서 대응변의 길이는 같으므로
(변 ㅁㄹ)=(변 ㅁㅂ)=3 cm
(변 ㄴㄷ)=(변 ㄴㄱ)=5 cm
(변 ㄷㄹ)=(변 ㄱㅂ)=8 cm
따라서 주어진 도형의 둘레는
$(3+5+8)\times 2=$[ ](cm)입니다.

06 선분 ㅅㅇ을 대칭축으로 하는 선대칭도형입니다. 주어진 도형의 둘레는 몇 cm인지 구하시오.

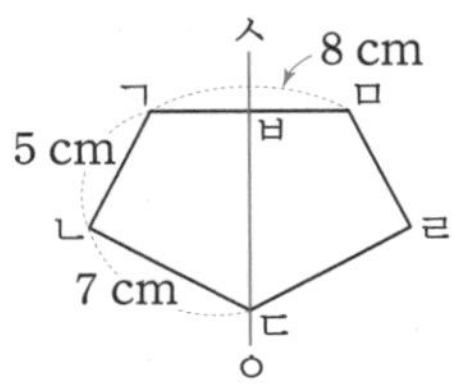

| 해결 과정 |

따라 푸는 문장제 서술형

07 주어진 도형이 선대칭도형인 이유를 설명하고, 대칭축의 개수를 구하시오.

| 문제 이해 |

선대칭도형

⇨ 한 직선을 따라 접어서 완전히 겹치는 도형

| 해결 과정 |

주어진 도형은 한 직선을 따라 접었을 때 완전히 겹쳐지므로 선대칭도형이고 대칭축을 그리면 오른쪽 그림과 같이 ☐개입니다.

08 주어진 정오각형이 선대칭도형인 이유를 설명하고, 대칭축을 모두 그리시오.

| 문제 이해 |

선대칭도형

⇨ ____________________

| 해결 과정 |

09 주어진 그림에서 선분 ㄹㅁ을 대칭축으로 하는 선대칭도형을 완성하였을 때, 완성된 선대칭도형의 넓이는 몇 cm^2인지 구하시오.

ㄹ, ㄱ, ㄴ, ㄷ, ㅁ
10 cm
8 cm
6 cm

| 문제 이해 |

완성된 선대칭도형의 넓이

⇨ 주어진 직각삼각형의 넓이의 2배

| 해결 과정 |

주어진 직각삼각형의 넓이는 $6\times8\div2=24(cm^2)$입니다.
따라서 완성된 선대칭도형의 넓이는 주어진 직각삼각형의 넓이의 2배이므로 $24\times2=$☐(cm^2)입니다.

10 주어진 그림에서 선분 ㅁㅂ을 대칭축으로 하는 선대칭도형을 완성하였을 때, 완성된 선대칭도형의 넓이는 몇 cm^2인지 구하시오.

ㄴ, ㅁ, ㄱ, ㄷ, ㄹ, ㅂ
6 cm
7 cm
10 cm

| 문제 이해 |

완성된 선대칭도형의 넓이

⇨ ____________________

| 해결 과정 |

11 재희가 선대칭도형에 대해 이야기한 것이 맞는지, 틀린지 말해 보시오.

> 선대칭도형의 대칭축은 항상 하나야.

| 문제 이해 |

대칭축

⇨ 선대칭도형에서 도형이 완전히 겹치도록 접는 직선

| 해결 과정 |

대칭축은 선대칭도형의 모양에 따라 1개일 수도 있고 여러 개일 수도 있습니다.
따라서 재희가 이야기한 것은 ☐.

12 유림이가 선대칭도형에 대해 이야기한 것이 맞는지, 틀린지 말해 보시오.

> 대칭축에 의해 나누어진 두 도형은 합동이야.

| 문제 이해 |

합동 ⇨ ____________________

| 해결 과정 |

스스로 푸는 서술형

13 주어진 도형은 선대칭도형이 아닙니다. 선대칭도형이 아닌 이유를 설명하시오.

| 해결 과정 |

답

14 선대칭도형에서 대칭축의 개수가 적은 것부터 차례대로 기호를 쓰시오.

| 해결 과정 |

답

15 삼각형 ㄱㄴㄷ은 선분 ㅁㅂ을 대칭축으로 하는 선대칭도형입니다. 삼각형 ㄱㄴㄷ의 둘레가 50 cm일 때 변 ㄱㄴ은 몇 cm인지 구하시오.

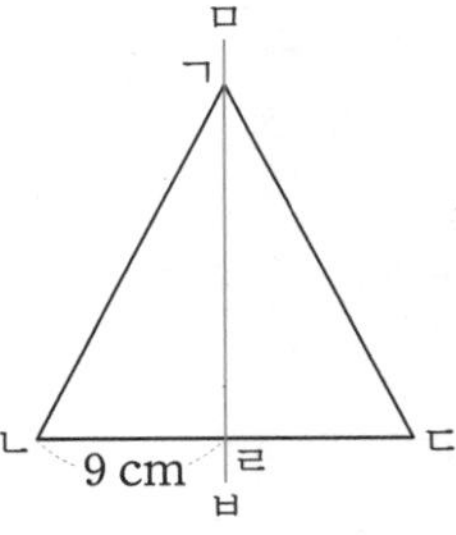

| 해결 과정 |

답

16 사각형 ㄹㅁㅅㅇ은 선분 ㄱㄴ을 대칭축으로 하는 선대칭도형입니다. 각 ㄷㅇㅅ의 크기를 구하시오.

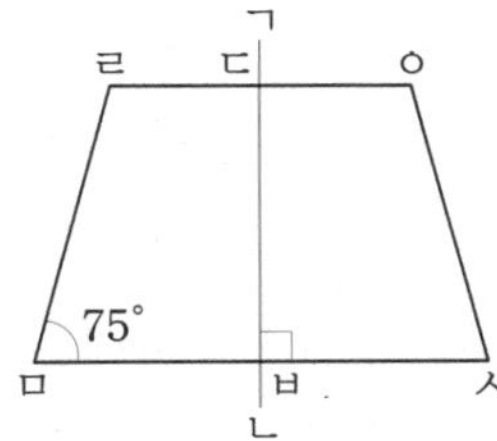

| 해결 과정 |

점대칭도형

우리는 앞 단원에서 선대칭도형에 대해 알아보았습니다. 한 직선을 따라 접어서 완전히 겹치는 도형을 선대칭도형이라고 하였고, 그 직선을 대칭축이라고 하였습니다.

그렇다면 어떤 점을 중심으로 돌렸을 때 처음 도형과 완전히 겹치는 도형을 무엇이라고 할까요?

한 도형을 어떤 점을 중심으로 180° 돌렸을 때 처음 도형과 완전히 겹치면 이 도형을 **점대칭도형**이라고 합니다. 이때 그 점을 **대칭의 중심**이라고 합니다.

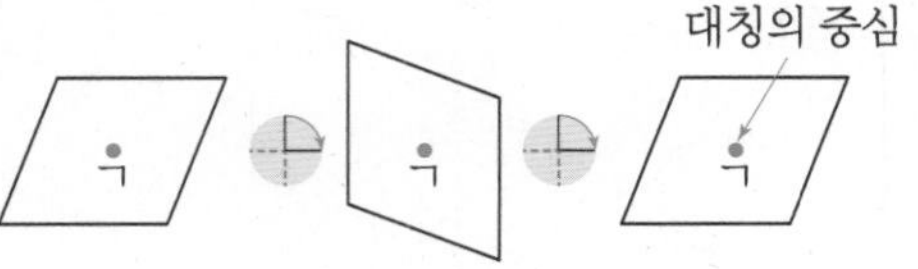

점대칭도형에서 대칭의 중심은 항상 1개입니다.

대칭의 중심을 중심으로 180° 돌렸을 때 겹치는 점을 **대응점**, 겹치는 변을 **대응변**, 겹치는 각을 **대응각**이라고 합니다.

점대칭도형에는 다음과 같은 성질이 있습니다.

- 대응변의 길이와 대응각의 크기는 각각 같습니다.
  (변 ㄱㄴ)=(변 ㄷㄹ), (변 ㄴㄷ)=(변 ㄹㄱ)
  (각 ㄱㄴㄷ)=(각 ㄷㄹㄱ), (각 ㄴㄷㄹ)=(각 ㄹㄱㄴ)
- 대칭의 중심은 대응점을 이은 선분을 이등분하므로 각각의 대응점에서 대칭의 중심까지의 거리는 같습니다.
  (선분 ㄱㅇ)=(선분 ㄷㅇ), (선분 ㄴㅇ)=(선분 ㄹㅇ)

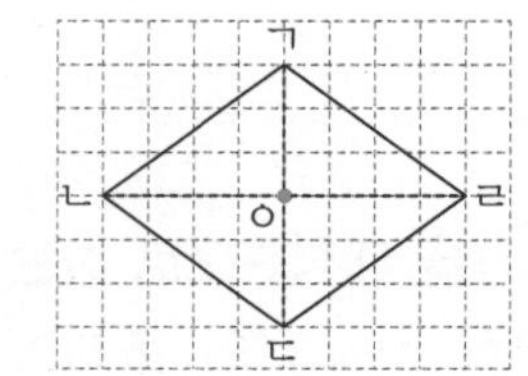

점대칭도형에서 대응점을 이은 선분을 따라 둘로 나누면 두 도형은 합동입니다.

점대칭도형을 그릴 때에는 먼저 각 점에서 대칭의 중심을 지나는 직선을 긋고 각 점에서 대칭의 중심까지의 길이와 같도록 대응점을 찾아 표시한 후, 대응점을 차례로 이어 점대칭도형을 완성합니다.

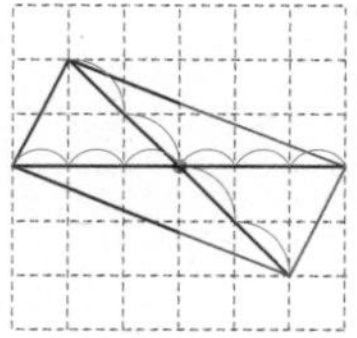

여기서 점대칭도형이 아닌 경우를 알아봅시다. □ 안에 알맞은 것을 써넣으시오.

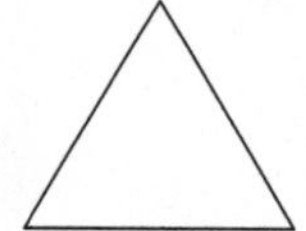

정삼각형은 한 직선으로 접으면 완전히 겹쳐지므로 선대칭도형이지만 어떤 점을 중심으로 180° 돌려도 처음 도형과 완전히 겹쳐지지 않으므로 □은 아닙니다.

답 점대칭도형

정삼각형은 점대칭도형은 아니지만 120° 돌리면 처음 도형과 완전히 겹쳐집니다.

풍산자 비법

점대칭도형 ⇨ 한 도형을 어떤 점을 중심으로 180° 돌렸을 때 처음 도형과 완전히 겹치는 도형

따라 푸는 서술형

01 점대칭도형인 문자를 고르시오.

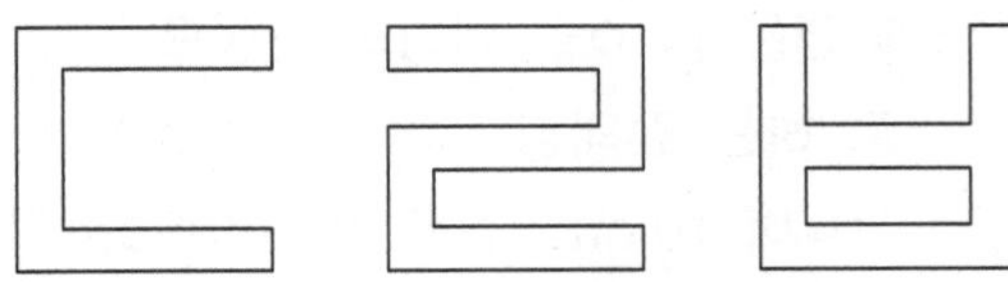

| 해결 과정 |

한 점을 중심으로 180° 돌렸을 때 처음 도형과 완전히 겹치는 문자를 찾으면 ☐입니다.

02 점대칭도형인 문자를 고르시오.

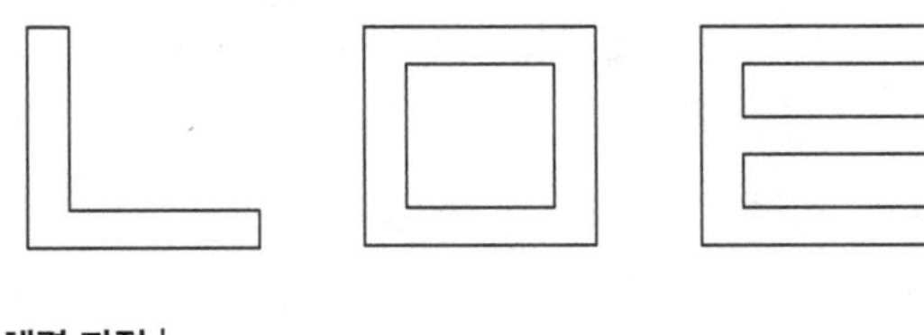

| 해결 과정 |

03 점 ㅅ을 대칭의 중심으로 하는 점대칭도형입니다. 변 ㄷㄹ의 길이와 각 ㄴㄷㄹ의 크기를 구하시오.

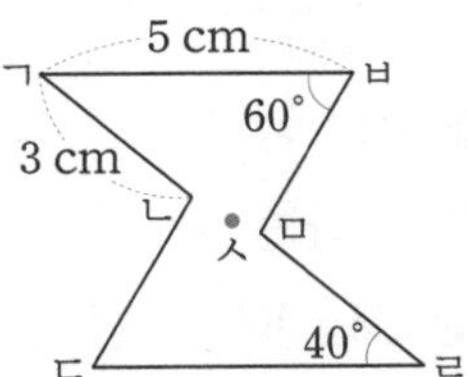

| 해결 과정 |

점대칭도형에서 대응변의 길이와 대응각의 크기는 각각 같으므로

(변 ㄷㄹ)=(변 ㅂㄱ)=☐ cm

(각 ㄴㄷㄹ)=(각 ㅁㅂㄱ)=☐°입니다.

04 점 ㅇ을 대칭의 중심으로 하는 점대칭도형입니다. 변 ㄷㄹ의 길이와 각 ㄴㄷㄹ의 크기를 구하시오.

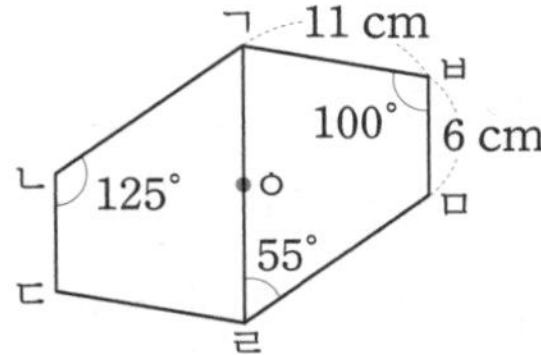

| 해결 과정 |

05 점 ㅇ을 대칭의 중심으로 하는 점대칭도형입니다. 주어진 도형의 둘레는 몇 cm인지 구하시오.

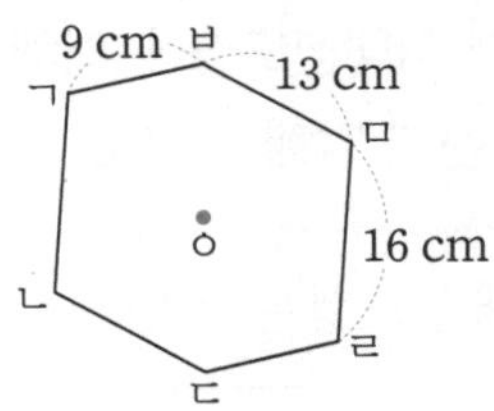

| 해결 과정 |

점대칭도형에서 대응변의 길이는 같으므로

(변 ㄱㄴ)=(변 ㄹㅁ)=16 cm

(변 ㄴㄷ)=(변 ㅁㅂ)=13 cm

(변 ㄷㄹ)=(변 ㅂㄱ)=9 cm

따라서 주어진 도형의 둘레는

(16+13+9)×2=☐(cm)입니다.

06 점 ㅈ을 대칭의 중심으로 하는 점대칭도형입니다. 주어진 도형의 둘레는 몇 cm인지 구하시오.

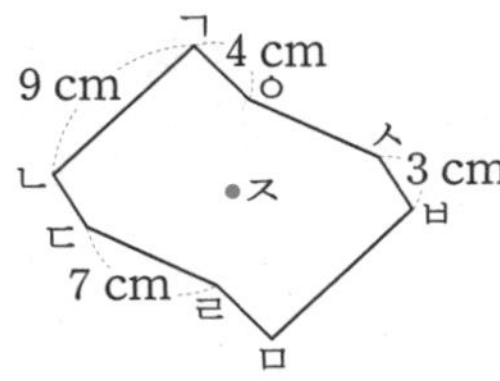

| 해결 과정 |

따라 푸는 문장제 서술형

07 병욱이가 접은 딱지 모양입니다. 딱지는 점 ㅇ을 대칭의 중심으로 하는 점대칭도형이고 선분 ㄱㅇ이 5 cm일 때 선분 ㄱㄷ은 몇 cm인지 구하시오.

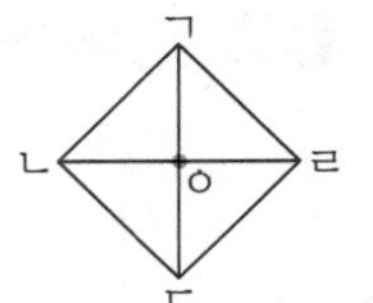

| 문제 이해 |

점대칭도형
⇨ 대응점에서 대칭의 중심까지의 거리는 같다.

| 해결 과정 |

점대칭도형의 대응점에서 대칭의 중심까지의 거리는 같으므로 (선분 ㄱㅇ)=(선분 ㄷㅇ)=5 cm
따라서 선분 ㄱㄷ은 [ ] cm입니다.

08 민정이가 만든 방패연입니다. 방패연은 점 ㅇ을 대칭의 중심으로 하는 점대칭도형이고 선분 ㄱㄴ이 10 cm, 선분 ㄱㄹ이 6 cm일 때 방패연의 둘레는 몇 cm인지 구하시오.

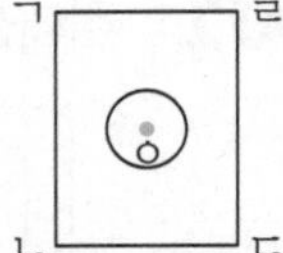

| 문제 이해 |

점대칭도형 ⇨ ____________________

| 해결 과정 |

---

09 그림과 같이 점 ㅅ을 대칭의 중심으로 하는 점대칭도형을 만들었을 때, 도형의 넓이는 몇 cm^2인지 구하시오.

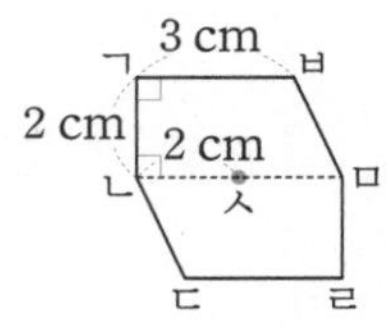

| 문제 이해 |

점대칭도형의 넓이 ⇨ 사다리꼴의 넓이의 2배

| 해결 과정 |

(선분 ㅁㅅ)=(선분 ㄴㅅ)=2 cm이므로
사다리꼴 ㄱㄴㅁㅂ의 넓이는
$(3+4)\times2\div2=7(cm^2)$입니다.
따라서 주어진 도형의 넓이는 $7\times2=$ [ ] (cm^2)입니다.

10 그림과 같이 점 ㅇ을 대칭의 중심으로 하는 점대칭도형을 만들었을 때, 도형의 넓이는 몇 cm^2인지 구하시오.

| 문제 이해 |

점대칭도형의 넓이 ⇨ ____________________

| 해결 과정 |

---

11 예림이가 점대칭도형에 대해 이야기한 것이 맞는지, 틀린지 말해 보시오.

> 점대칭도형의 대칭의 중심은 도형의 모양에 따라 여러 개일 수도 있어.

| 문제 이해 |

대칭의 중심
⇨ 점대칭도형에서 도형을 180° 돌릴 때 중심이 되는 점

| 해결 과정 |

점대칭도형에서 대칭의 중심은 항상 1개입니다.
따라서 예림이가 이야기한 것은 [ ].

12 민서가 점대칭도형에 대해 이야기한 것이 맞는지, 틀린지 말해 보시오.

> 선대칭도형은 점대칭도형이 될 수 없어.

| 문제 이해 |

선대칭도형 ⇨ ____________________
점대칭도형 ⇨ ____________________

| 해결 과정 |

스스로 푸는 서술형

13 주어진 도형은 점대칭도형이 아닙니다. 점대칭도형이 아닌 이유를 설명하시오.

| 해결 과정 |

답

14 선대칭도형이면서 점대칭도형인 문자는 모두 몇 개인지 구하시오.

C D E F G H I M N

| 해결 과정 |

답

15 사각형 ㄱㄴㄷㄹ은 점 ㅇ을 대칭의 중심으로 하는 점대칭도형입니다. 두 대각선의 길이의 합이 42 cm일 때 선분 ㄹㅇ은 몇 cm인지 구하시오.

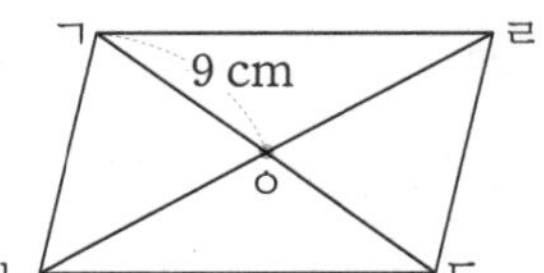

| 해결 과정 |

답

16 사각형 ㄱㄴㄷㄹ은 점 ㅁ을 대칭의 중심으로 하는 점대칭도형입니다. 선분 ㄴㅁ과 선분 ㄷㅁ의 길이가 같을 때 각 ㄴㅁㄷ의 크기를 구하시오.

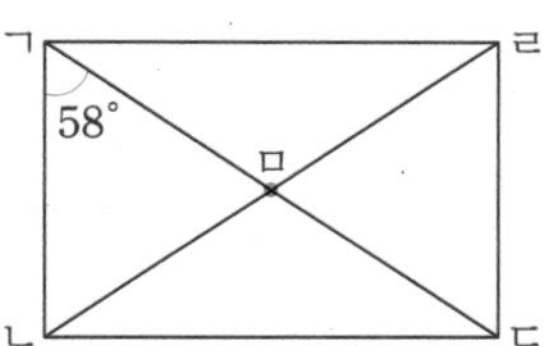

| 해결 과정 |

답

단계별로, 문제해결 능력을 키우자!

지금까지 우리는 합동과 대칭을 배웠습니다.

힘들었을 텐데, 잘 풀었어요!

자, 그럼 마지막으로 지금까지 배운 합동과 대칭을 모두 이용해서
우리 함께 서술형 문제를 해결해 볼까요?
단계별로 문제를 해결하다 보면 어려운 서술형도 쉬워질 거예요.

점 ㅇ을 대칭의 중심으로 하는 점대칭도형입니다. 삼각형 ㄱㄴㅂ의 둘레가 52 cm일 때, 도형의 둘레는 몇 cm인지 구하시오.

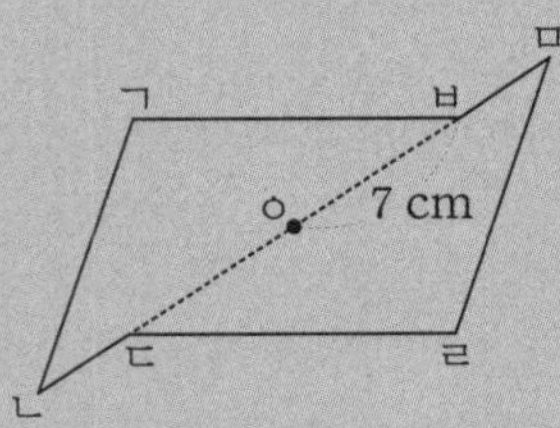

실타래 찾기 ▶ 점대칭도형이므로 삼각형 ㄱㄴㅂ과 삼각형 ㄹㅁㄷ의 둘레는 같습니다.

실타래 풀기 ▶ **단계 1 :** 삼각형 ㄱㄴㅂ과 삼각형 ㄹㅁㄷ에서 겹치는 선분을 구합니다.

단계 2 : 선분 ㄷㅂ의 길이를 구합니다.

단계 3 : 도형의 둘레를 구합니다.

나만의 해설 쓰기 :

정답 :

소수의 곱셈

공부할 내용	공부한 날
10 (소수)×(자연수)	월 일
11 (자연수)×(소수)	월 일
12 (1보다 작은 소수)×(1보다 작은 소수)	월 일
13 (1보다 큰 소수)×(1보다 큰 소수)	월 일
14 곱의 소수점 위치	월 일

10 (소수)×(자연수)

우리는 [수학 5-2] 분수의 곱셈에서 $\frac{3}{10}\times 6$, $1\frac{2}{5}\times 2$와 같은 (분수)×(자연수)를 계산하는 방법을 알아보았습니다. (진분수)×(자연수)는 분수의 분모는 그대로 두고 분자와 자연수를 곱하여 계산하였고, (대분수)×(자연수)는 대분수를 가분수로 바꾼 후에 분수의 분모는 그대로 두고 분자와 자연수를 곱하여 계산하거나 대분수를 자연수와 진분수의 합으로 보고 계산하였습니다.

$\frac{3}{10}\times 6=\frac{3\times 6}{10}=\frac{18}{10}=\frac{9}{5}$

$1\frac{2}{5}\times 2=\frac{7}{5}\times 2=\frac{7\times 2}{5}=\frac{14}{5}=2\frac{4}{5}$

$1\frac{2}{5}\times 2=(1\times 2)+\left(\frac{2}{5}\times 2\right)=2+\frac{4}{5}=2\frac{4}{5}$

그렇다면 0.7×3, 1.4×4와 같은 (소수)×(자연수)는 어떻게 계산할까요?
(소수)×(자연수)는 소수를 분수로 나타내어 분수의 곱셈으로 계산하거나 0.1의 개수로 다음과 같이 계산할 수 있습니다.

[방법 1] 분수의 곱셈으로 계산

- $0.7\times 3=\frac{7}{10}\times 3=\frac{7\times 3}{10}=\frac{21}{10}=2.1$
- $1.4\times 4=\frac{14}{10}\times 4=\frac{14\times 4}{10}=\frac{56}{10}=5.6$

[방법 2] 0.1의 개수로 계산

- 0.7×3 ⇨ 0.7은 0.1이 7개이고 0.7×3은 0.1이 $7\times 3=21$(개)이므로 $0.7\times 3=2.1$입니다.
- 1.4×4 ⇨ 1.4는 0.1이 14개이고 1.4×4는 0.1이 $14\times 4=56$(개)이므로 $1.4\times 4=5.6$입니다.

0.7×3을 덧셈식으로 계산
⇨ $0.7+0.7+0.7=2.1$

여기서 (소수)×(자연수)는 어떤 상황에서 나타나는지 알아봅시다. □ 안에 알맞은 수를 써넣으시오.

영미는 매일 물을 1.2 L씩 마십니다. 영미가 6일 동안 마신 물은 몇 L일까요?

$1.2\times 6=\frac{12}{10}\times 6=\frac{72}{10}=7.2$이므로 영미가 6일 동안 마신 물은 □ L입니다.

답 7.2

풍산자 비법

(소수)×(자연수) ⇨ 소수를 분수로 나타내어 계산하거나 0.1의 개수를 구해 계산한다.

따라 푸는 서술형

01 나타내는 수가 나머지와 다른 하나를 찾아 기호를 쓰시오.

㉠ 0.4×3	㉡ $0.4+0.4+0.4$
㉢ 1.2	㉣ 0.4×4

| 해결 과정 |

㉠, ㉡, ㉢ $0.4\times3=0.4+0.4+0.4=1.2$

㉣ $0.4\times4=1.6$

따라서 나타내는 수가 나머지와 다른 것은 ☐입니다.

02 나타내는 수가 나머지와 다른 하나를 찾아 기호를 쓰시오.

㉠ 0.8×3	㉡ $0.8+0.8+0.8$
㉢ 0.3×8	㉣ $0.3+0.3+0.3$

| 해결 과정 |

03 계산 결과를 비교하여 ○ 안에 >, =, <를 알맞게 써넣으시오.

0.7×6 ○ 0.81×5

| 해결 과정 |

$0.7\times6=\frac{7}{10}\times6=\frac{42}{10}=4.2$

$0.81\times5=\frac{81}{100}\times5=\frac{405}{100}=4.05$

따라서 ○ 안에 알맞은 것은 ☐입니다.

04 계산 결과를 비교하여 ○ 안에 >, =, <를 알맞게 써넣으시오.

2.9×2 ○ 1.52×4

| 해결 과정 |

05 한 변의 길이가 2.3 cm인 정육각형의 둘레는 몇 cm인지 구하시오.

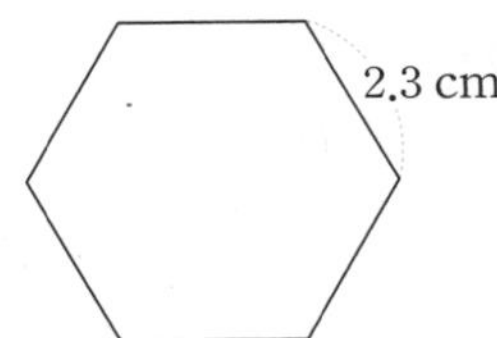

| 해결 과정 |

정육각형의 한 변의 길이가 2.3 cm이므로

정육각형의 둘레는

$2.3\times6=\frac{23}{10}\times6=\frac{138}{10}=$ ☐(cm)입니다.

06 한 변의 길이가 0.37 m인 정팔각형의 둘레는 몇 m인지 구하시오.

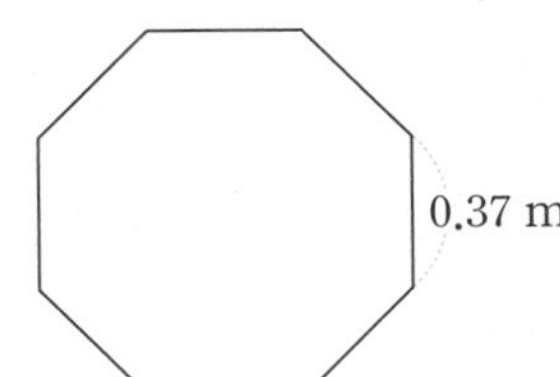

| 해결 과정 |

따라 푸는 문장제 서술형

07 준희는 매일 물을 0.8 L씩 마십니다. 준희가 일주일 동안 마신 물은 몇 L인지 구하시오.

| 문제 이해 |

마신 물의 양 ⇨ (하루에 마신 양)×(날수)

| 해결 과정 |

일주일은 7일이므로 $0.8\times7=\frac{8}{10}\times7=\frac{56}{10}=5.6$

따라서 준희가 일주일 동안 마신 물은 □ L입니다.

08 서진이는 매일 우유를 0.7 L씩 마십니다. 서진이가 2주일 동안 마신 우유는 몇 L인지 구하시오.

| 문제 이해 |

마신 우유의 양 ⇨ ______

| 해결 과정 |

09 민서는 매일 2.4 km씩 달리기 운동을 합니다. 민서가 5일 동안 달리기 운동을 한 거리는 몇 km인지 구하시오.

| 문제 이해 |

운동한 거리 ⇨ (하루에 달린 거리)×(날수)

| 해결 과정 |

$2.4\times5=\frac{24}{10}\times5=\frac{120}{10}=12$

따라서 민서가 5일 동안 달리기 운동을 한 거리는 □ km입니다.

10 어느 식당에서는 매일 밀가루 3.2 kg을 사용합니다. 이 식당에서 6일 동안 사용한 밀가루는 몇 kg인지 구하시오.

| 문제 이해 |

사용한 밀가루의 양 ⇨ ______

| 해결 과정 |

11 영미는 매일 1시간 30분씩 수학 공부를 합니다. 영미가 3주일 동안 수학 공부를 한 시간은 모두 몇 시간인지 구하시오.

| 문제 이해 |

3주일 동안 공부한 시간
⇨ (하루에 공부한 시간)×(날수)

| 해결 과정 |

1시간 30분은 1.5시간이고 3주일은 21일이므로

$1.5\times21=\frac{15}{10}\times21=\frac{315}{10}=31.5$

따라서 영미가 3주일 동안 수학 공부를 한 시간은 □시간입니다.

12 민주는 매주 토요일에 2시간 30분씩 봉사 활동을 합니다. 민주가 5주일 동안 봉사 활동을 한 시간은 모두 몇 시간인지 구하시오.

| 문제 이해 |

5주일 동안 봉사 활동한 시간
⇨ ______

| 해결 과정 |

스스로 푸는 서술형

13 잘못 계산한 곳을 찾아 그 이유를 설명하고 바르게 계산하시오.

$$2.11\times3=\frac{211}{10}\times3=\frac{633}{10}=63.3$$

| 해결 과정 |

답

14 □ 안에 들어갈 수 있는 자연수는 모두 몇 개인지 구하시오.

$$0.7\times6<\square<2.7\times3$$

| 해결 과정 |

답

15 4장의 카드를 한 번씩 모두 사용하여 만들 수 있는 가장 작은 소수 한 자리 수와 가장 큰 한 자리 수의 곱을 구하시오.

| 해결 과정 |

16 1시간에 82.3 km를 달리는 자동차가 있습니다. 이 자동차가 같은 빠르기로 3시간 동안 달렸다면, 달린 거리는 몇 km인지 구하시오.

| 해결 과정 |

답

11 (자연수)×(소수)

우리는 앞 단원에서 1.4×3과 같은 (소수)×(자연수)를 계산하는 방법을 알아보았습니다. (소수)×(자연수)는 소수를 분수로 나타내어 분수의 곱셈으로 계산하거나 0.1의 개수로 계산하였습니다.

$1.4\times3=\frac{14}{10}\times3=\frac{14\times3}{10}$
$=\frac{42}{10}=4.2$
1.4는 0.1이 14개이고 1.4×3은 0.1이 14×3=42(개)이므로 1.4×3=4.2입니다.

그렇다면 4×0.6, 3×2.5와 같은 (자연수)×(소수)는 어떻게 계산할까요?
(자연수)×(소수)는 소수를 분수로 나타내어 분수의 곱셈으로 계산하거나 자연수의 곱셈을 이용하여 다음과 같이 계산할 수 있습니다.

[방법 1] 분수의 곱셈으로 계산

- $4\times0.6=4\times\frac{6}{10}=\frac{4\times6}{10}=\frac{24}{10}=2.4$
- $3\times2.5=3\times\frac{25}{10}=\frac{3\times25}{10}=\frac{75}{10}=7.5$

[방법 2] 자연수의 곱셈을 이용하여 계산

- 4×0.6 ⇨ 4×6=24이므로 4×0.6=2.4입니다.
- 3×2.5 ⇨ 3×25=75이므로 3×2.5=7.5입니다.

4× 6 = 24 → ($\frac{1}{10}$배, $\frac{1}{10}$배) → 4×0.6=2.4

3×25=75 → ($\frac{1}{10}$배, $\frac{1}{10}$배) → 3×2.5=7.5

곱하는 수가 1보다 작으면 곱의 결과는 곱해지는 수보다 작고, 곱하는 수가 1보다 크면 곱의 결과는 곱해지는 수보다 큽니다.

곱하는 수가 $\frac{1}{10}$배가 되면 계산 결과도 $\frac{1}{10}$배가 됩니다.

곱해지는 수와 곱하는 수의 순서가 바뀌어도 곱의 결과는 같으므로
(자연수)×(소수)는 (소수)×(자연수)로 바꾸어 계산할 수 있습니다.
즉, $2\times0.8=0.8\times2=\frac{8}{10}\times2=\frac{8\times2}{10}=\frac{16}{10}=1.6$입니다.

여기서 (자연수)×(소수)는 어떤 상황에서 나타나는지 알아봅시다. □ 안에 알맞은 수를 써넣으시오.

재희의 몸무게는 35 kg입니다. 동생의 몸무게는 재희의 몸무게의 0.7배일 때, 동생의 몸무게는 몇 kg일까요?

$35\times0.7=35\times\frac{7}{10}=\frac{245}{10}=24.5$이므로 동생의 몸무게는 □ kg입니다.

답 24.5

풍산자 비법 (자연수)×(소수) ⇨ 소수를 분수로 나타내어 계산하거나 자연수의 곱셈을 이용하여 계산한다.

따라 푸는 서술형

01 ㉠과 ㉡을 계산한 값의 차를 구하시오.

㉠ 15×0.8　　㉡ 3×4.8

| 해결 과정 |

㉠ $15\times0.8=15\times\frac{8}{10}=\frac{120}{10}=12$

㉡ $3\times4.8=3\times\frac{48}{10}=\frac{144}{10}=14.4$

따라서 ㉠과 ㉡을 계산한 값의 차는

$14.4-12=$ □ 입니다.

02 ㉠과 ㉡을 계산한 값의 차를 구하시오.

㉠ 9×0.72　　㉡ 6×1.42

| 해결 과정 |

03 계산 결과를 비교하여 ○ 안에 >, =, <를 알맞게 써넣으시오.

15×0.23 ○ 8×0.45

| 해결 과정 |

$15\times23=345$, $8\times45=360$이고

곱하는 수가 $\frac{1}{100}$배가 되면 계산 결과도 $\frac{1}{100}$배가 되므로 $15\times0.23=3.45$, $8\times0.45=3.6$입니다.

따라서 ○ 안에 알맞은 것은 □ 입니다.

04 계산 결과를 비교하여 ○ 안에 >, =, <를 알맞게 써넣으시오.

14×5.1 ○ 21×3.5

| 해결 과정 |

05 가장 큰 수와 가장 작은 수의 곱을 구하시오.

3　　2.1　　5.04　　9

| 해결 과정 |

가장 큰 수는 9이고 가장 작은 수는 2.1이므로

두 수의 곱은

$9\times2.1=9\times\frac{21}{10}=\frac{189}{10}=$ □ 입니다.

06 가장 큰 수와 가장 작은 수의 곱을 구하시오.

0.98　　5　　1.02　　8

| 해결 과정 |

따라 푸는 문장제 서술형

07 아버지의 몸무게는 65 kg입니다. 아들의 몸무게는 아버지 몸무게의 0.6배일 때 아들의 몸무게는 몇 kg인지 구하시오.

| 문제 이해 |

아들의 몸무게 ⇨ (아버지의 몸무게)$\times 0.6$

| 해결 과정 |

$65\times0.6=65\times\frac{6}{10}=\frac{390}{10}=39$

따라서 아들의 몸무게는 ☐ kg입니다.

08 병욱이의 키는 155 cm입니다. 동생의 키는 병욱이의 키의 0.8배일 때 동생의 키는 몇 cm인지 구하시오.

| 문제 이해 |

동생의 키 ⇨ ____________________

| 해결 과정 |

09 일주일 동안 민주는 물을 3 L의 4.12배만큼 마셨고, 지민이는 2 L의 5.34배만큼 마셨습니다. 누가 물을 더 많이 마셨는지 구하시오.

| 문제 이해 |

■의 ▲배 ⇨ ■×▲

| 해결 과정 |

3 L의 4.12배는

$3\times4.12=3\times\frac{412}{100}=\frac{1236}{100}=12.36$(L)

2 L의 5.34배는

$2\times5.34=2\times\frac{534}{100}=\frac{1068}{100}=10.68$(L)입니다.

따라서 $12.36>10.68$이므로 ☐가 물을 더 많이 마셨습니다.

10 미술 작품을 만드는 데 1 m에 무게가 12 g인 리본 0.7 m와 1 m에 무게가 15 g인 노끈 0.6 m를 사용했습니다. 사용한 리본과 노끈의 무게 중 무엇이 더 무거운지 구하시오.

| 문제 이해 |

사용한 무게 ⇨ ____________________

| 해결 과정 |

11 한 시간을 달리는 데 3 L의 휘발유가 필요한 자동차가 있습니다. 이 자동차로 3시간 30분을 달리려면 몇 L의 휘발유가 필요한지 구하시오.

| 문제 이해 |

필요한 휘발유의 양

⇨ (1시간 달리는 데 필요한 휘발유의 양)$\times$(시간)

| 해결 과정 |

3시간 30분은 3.5시간이므로

$3\times3.5=3\times\frac{35}{10}=\frac{105}{10}=10.5$

따라서 이 자동차로 3시간 30분을 달리려면 ☐ L의 휘발유가 필요합니다.

12 한 시간 동안 80 km씩 달리는 자동차가 있습니다. 이 자동차가 같은 빠르기로 2시간 12분을 달린 거리는 몇 km인지 구하시오.

| 문제 이해 |

달린 거리

⇨ ____________________

| 해결 과정 |

스스로 푸는 서술형

13 잘못 계산한 곳을 찾아 그 이유를 설명하고 바르게 계산하시오.

$$14\times0.08=14\times\frac{8}{10}=\frac{112}{10}=11.2$$

| 해결 과정 |

답

14 8×0.9의 계산 결과에 대해 은주와 민정이가 어림한 것입니다. 잘못 어림한 사람은 누구인지 쓰시오.

$$8\times9=72 \Rightarrow 8\times0.9=?$$

은주: 8×0.9를 계산한 값은 72의 $\frac{1}{10}$ 배일 거야.

민정: $8\times9=72$에서 72는 8보다 크니까 8×0.9를 계산한 값도 8보다 클거야.

| 해결 과정 |

답

15 집에서 도서관까지의 거리는 2 km이고, 도서관에서 공원까지의 거리는 집에서 도서관까지의 거리의 1.6배입니다. 집에서 도서관을 지나 공원까지의 거리는 몇 km인지 구하시오.

| 해결 과정 |

16 미술 시간에 민주가 사용한 철사는 6 m이고, 영미가 사용한 철사는 민주가 사용한 철사의 1.2배입니다. 영미가 철사 8 m를 가지고 있었다면 사용하고 남은 철사는 몇 m인지 구하시오.

| 해결 과정 |

12 (1보다 작은 소수)×(1보다 작은 소수)

우리는 앞 단원에서 4×1.8과 같은 (자연수)×(소수)를 계산하는 방법을 알아보았습니다. (자연수)×(소수)는 소수를 분수로 나타내어 분수의 곱셈으로 계산하거나 자연수의 곱셈을 이용하여 계산하였습니다.

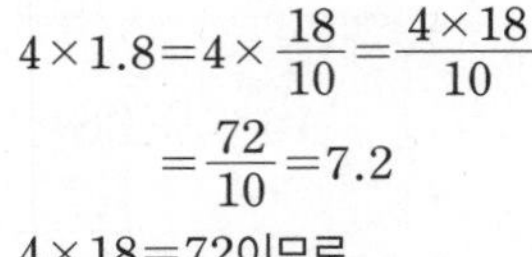

$4\times1.8=4\times\frac{18}{10}=\frac{4\times18}{10}=\frac{72}{10}=7.2$

$4\times18=72$이므로 $4\times1.8=7.2$입니다.

그렇다면 0.8×0.9, 0.13×0.4와 같은 (1보다 작은 소수)×(1보다 작은 소수)는 어떻게 계산할까요?

(1보다 작은 소수)×(1보다 작은 소수)는 소수를 분수로 나타내어 분수의 곱셈으로 계산하거나 자연수의 곱셈을 이용하여 다음과 같이 계산할 수 있습니다.

1보다 작은 두 소수의 곱셈의 결과는 항상 1보다 작습니다.

[방법 1] 분수의 곱셈으로 계산

- $0.8\times0.9=\frac{8}{10}\times\frac{9}{10}=\frac{72}{100}=0.72$
- $0.13\times0.4=\frac{13}{100}\times\frac{4}{10}=\frac{52}{1000}=0.052$

[방법 2] 자연수의 곱셈을 이용하여 계산

- 0.8×0.9 ⇨ $8\times9=72$이므로 $0.8\times0.9=0.72$입니다.
- 0.13×0.4 ⇨ $13\times4=52$이므로 $0.13\times0.4=0.052$입니다.

$8\times9=72$ → ($\frac{1}{10}$배, $\frac{1}{10}$배, $\frac{1}{100}$배) → $0.8\times0.9=0.72$

$13\times4=52$ → ($\frac{1}{100}$배, $\frac{1}{10}$배, $\frac{1}{1000}$배) → $0.13\times0.4=0.052$

곱해지는 수가 $\frac{1}{10}$배, 곱하는 수가 $\frac{1}{10}$배가 되면 계산 결과는 $\frac{1}{100}$배가 됩니다.

소수의 곱셈은 자연수의 곱셈 결과에 소수의 크기를 생각해서 소수점을 찍어 계산할 수도 있습니다. 예를 들면, 0.8×0.4에서 $8\times4=32$인데 0.8에 0.4를 곱하면 0.8보다 작은 값이 나와야 하므로 $0.8\times0.4=0.32$입니다.

여기서 (1보다 작은 소수)×(1보다 작은 소수)는 어떤 상황에서 나타나는지 알아봅시다. □ 안에 알맞은 수를 써넣으시오.

> 밀가루 0.6 kg 한 봉지의 0.7만큼이 탄수화물 성분입니다. 탄수화물 성분은 몇 kg일까요?

$0.6\times0.7=\frac{6}{10}\times\frac{7}{10}=\frac{42}{100}=0.42$이므로 탄수화물 성분은 □ kg입니다.

답 0.42

풍산자 비법 (1보다 작은 소수)×(1보다 작은 소수) ⇨ 소수를 분수로 나타내어 계산하거나 자연수의 곱셈을 이용하여 계산한다.

따라 푸는 서술형

01 계산 결과를 비교하여 ○ 안에 >, =, <를 알맞게 써넣으시오.

0.5×0.21 ○ 0.4×0.26

| 해결 과정 |

$0.5\times0.21=\frac{5}{10}\times\frac{21}{100}=\frac{105}{1000}=0.105$

$0.4\times0.26=\frac{4}{10}\times\frac{26}{100}=\frac{104}{1000}=0.104$

따라서 ○ 안에 알맞은 것은 ☐입니다.

02 계산 결과를 비교하여 ○ 안에 >, =, <를 알맞게 써넣으시오.

0.24×0.8 ○ 0.36×0.6

| 해결 과정 |

03 가장 큰 수와 가장 작은 수의 곱을 구하시오.

0.5　0.18　0.8　0.63

| 해결 과정 |

가장 큰 수는 0.8이고 가장 작은 수는 0.18이므로
두 수의 곱은

$0.8\times0.18=\frac{8}{10}\times\frac{18}{100}=\frac{144}{1000}=$☐입니다.

04 가장 큰 수와 가장 작은 수의 곱을 구하시오.

0.75　0.6　0.49　0.3

| 해결 과정 |

05 평행사변형의 넓이는 몇 m^2인지 구하시오.

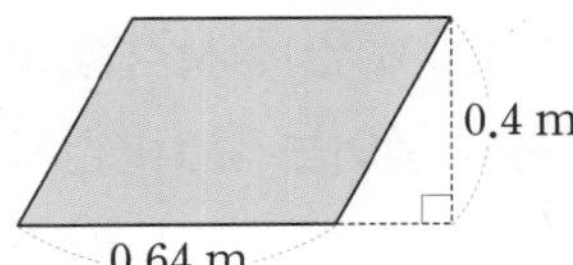

| 해결 과정 |

평행사변형의 넓이는 (밑변)×(높이)이므로

$0.64\times0.4=\frac{64}{100}\times\frac{4}{10}=\frac{256}{1000}=$☐$(m^2)$

입니다.

06 평행사변형의 넓이는 몇 m^2인지 구하시오.

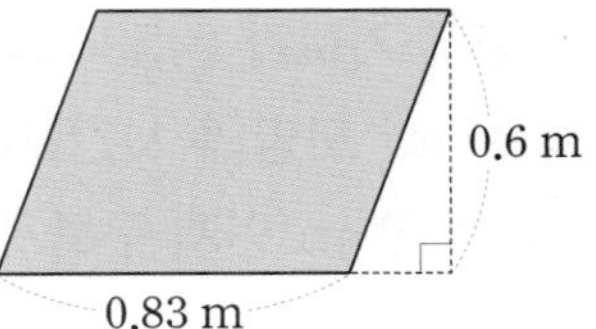

| 해결 과정 |

따라 푸는 문장제 서술형

07 1 L의 페인트로 0.8 m^2의 벽을 칠할 수 있다고 합니다. 0.7 L의 페인트로 몇 m^2의 벽을 칠할 수 있는지 구하시오.

| 문제 이해 |

칠할 수 있는 벽의 넓이
⇨ (페인트 1 L로 칠할 수 있는 벽의 넓이)×(페인트의 양)

| 해결 과정 |

$0.8\times0.7=\frac{8}{10}\times\frac{7}{10}=\frac{56}{100}=0.56$

따라서 0.7 L로 ☐ m^2의 벽을 칠할 수 있습니다.

08 1 kg의 오렌지로 0.4 L의 주스를 만들 수 있다고 합니다. 0.9 kg의 오렌지로 몇 L의 주스를 만들 수 있는지 구하시오.

| 문제 이해 |

만들 수 있는 주스의 양
⇨ ________________

| 해결 과정 |

09 1분 동안 0.12 km를 움직이는 장난감 자동차가 있습니다. 이 장난감 자동차가 0.6분 동안 몇 km를 움직일 수 있는지 구하시오.

| 문제 이해 |

장난감 자동차가 움직일 수 있는 거리
⇨ (1분 동안 움직일 수 있는 거리)×(움직인 시간)

| 해결 과정 |

$0.12\times0.6=\frac{12}{100}\times\frac{6}{10}=\frac{72}{1000}=0.072$

따라서 이 장난감 자동차는 0.6분 동안 ☐ km를 움직일 수 있습니다.

10 소리는 공기 중에서 1초 동안 0.34 km를 간다고 합니다. 소리는 0.8초 동안 몇 km를 갈 수 있는지 구하시오.

| 문제 이해 |

소리가 갈 수 있는 거리
⇨ ________________

| 해결 과정 |

11 지민이는 학급 게시판에 붙일 시간표를 만들려고 합니다. 가로가 0.52 m이고 세로가 0.4 m인 직사각형 모양의 시간표를 만들 때, 시간표의 넓이는 몇 m^2인지 구하시오.

| 문제 이해 |

직사각형의 넓이 ⇨ (가로)×(세로)

| 해결 과정 |

$0.52\times0.4=\frac{52}{100}\times\frac{4}{10}=\frac{208}{1000}=0.208$

따라서 시간표의 넓이는 ☐ m^2입니다.

12 민주는 벽에 창문을 만들려고 합니다. 한 변의 길이가 0.6 m인 정사각형 모양의 창문을 만들 때, 창문의 넓이는 몇 m^2인지 구하시오.

| 문제 이해 |

정사각형의 넓이 ⇨ ________________

| 해결 과정 |

스스로 푸는 서술형

13 ㉠과 ㉡을 계산한 값의 합을 구하시오.

㉠ 0.7×0.8 ㉡ 0.52×0.5

| 해결 과정 |

답

14 1부터 9까지의 자연수 중에서 □ 안에 들어갈 수 있는 수는 모두 몇 개인지 구하시오.

$0.5\times0.28<0.1\square<0.42\times0.4$

| 해결 과정 |

답

15 은비는 한 상자에 0.52 kg 들어 있는 버섯을 반 상자 샀습니다. 은비가 산 버섯의 무게는 몇 kg인지 구하시오.

| 해결 과정 |

답

16 가로가 0.8 m이고 세로가 0.65 m인 직사각형 모양의 벽에 벽지를 겹치지 않고 빈틈없이 이어 붙이려고 합니다. 필요한 벽지의 넓이는 몇 m^2인지 구하시오.

| 해결 과정 |

답

13 (1보다 큰 소수)×(1보다 큰 소수)

우리는 앞 단원에서 0.7×0.4와 같은 (1보다 작은 소수)×(1보다 작은 소수)를 계산하는 방법을 알아보았습니다. (1보다 작은 소수)×(1보다 작은 소수)는 소수를 분수로 나타내어 분수의 곱셈으로 계산하거나 자연수의 곱셈을 이용하여 계산하였습니다.

$0.7\times0.4=\frac{7}{10}\times\frac{4}{10}=\frac{28}{100}=0.28$
$7\times4=28$이므로 $0.7\times0.4=0.28$입니다.

그렇다면 1.3×2.5, 2.15×1.2와 같은 (1보다 큰 소수)×(1보다 큰 소수)는 어떻게 계산할까요?
(1보다 큰 소수)×(1보다 큰 소수)는 소수를 분수로 나타내어 분수의 곱셈으로 계산하거나 자연수의 곱셈을 이용하여 다음과 같이 계산할 수 있습니다.

1보다 큰 두 소수의 곱셈의 결과는 항상 1보다 큽니다.

[방법 1] 분수의 곱셈으로 계산
- $1.3\times2.5=\frac{13}{10}\times\frac{25}{10}=\frac{325}{100}=3.25$
- $2.15\times1.2=\frac{215}{100}\times\frac{12}{10}=\frac{2580}{1000}=2.58$

[방법 2] 자연수의 곱셈을 이용하여 계산
- 1.3×2.5 ⇨ $13\times25=325$이므로 $1.3\times2.5=3.25$입니다.
- 2.15×1.2 ⇨ $215\times12=2580$이므로 $2.15\times1.2=2.58$입니다.

$13\times25=325$ → $\frac{1}{10}$배, $\frac{1}{10}$배, $\frac{1}{100}$배 → $1.3\times2.5=3.25$

$215\times12=2580$ → $\frac{1}{100}$배, $\frac{1}{10}$배, $\frac{1}{1000}$배 → $2.15\times1.2=2.58$

소수점 아래 마지막 0을 생략하여 나타냅니다.

여기서 (1보다 큰 소수)×(1보다 큰 소수)는 어떤 상황에서 나타나는지 알아봅시다. □ 안에 알맞은 수를 써넣으시오.

서진이는 농장에서 딸기를 3.2 kg 땄습니다. 지민이는 서진이가 딴 딸기 무게의 1.5배를 땄을 때, 지민이가 딴 딸기의 무게는 kg일까요?

$3.2\times1.5=\frac{32}{10}\times\frac{15}{10}=\frac{480}{100}=4.8$이므로 지민이가 딴 딸기의 무게는 □ kg입니다.

답 4.8

풍산자 비법

(1보다 큰 소수)×(1보다 큰 소수) ⇨ 소수를 분수로 나타내어 계산하거나 자연수의 곱셈을 이용하여 계산한다.

따라 푸는 서술형

01 계산 결과를 비교하여 ○ 안에 >, =, <를 알맞게 써넣으시오.

4.3×2.4 ○ 3.5×3.2

| 해결 과정 |

$4.3\times2.4=\frac{43}{10}\times\frac{24}{10}=\frac{1032}{100}=10.32$

$3.5\times3.2=\frac{35}{10}\times\frac{32}{10}=\frac{1120}{100}=11.2$

따라서 ○ 안에 알맞은 것은 ☐입니다.

02 계산 결과를 비교하여 ○ 안에 >, =, <를 알맞게 써넣으시오.

6.6×2.2 ○ 4.8×3.6

| 해결 과정 |

03 ㉠과 ㉡을 계산한 값의 차를 구하시오.

㉠ 3.8×2.5　　㉡ 1.4×6.5

| 해결 과정 |

㉠ $3.8\times2.5=\frac{38}{10}\times\frac{25}{10}=\frac{950}{100}=9.5$

㉡ $1.4\times6.5=\frac{14}{10}\times\frac{65}{10}=\frac{910}{100}=9.1$

따라서 ㉠과 ㉡을 계산한 값의 차는
$9.5-9.1=$☐입니다.

04 ㉠과 ㉡을 계산한 값의 차를 구하시오.

㉠ 1.36×3.5　　㉡ 2.4×1.55

| 해결 과정 |

05 가장 큰 수와 가장 작은 수의 곱을 구하시오.

2.04　　1.95　　3.2

| 해결 과정 |

가장 큰 수는 3.2이고 가장 작은 수는 1.95이므로
두 수의 곱은

$3.2\times1.95=\frac{32}{10}\times\frac{195}{100}=\frac{6240}{1000}=$☐입니다.

06 가장 큰 수와 가장 작은 수의 곱을 구하시오.

1.56　　5.2　　4.84

| 해결 과정 |

따라 푸는 문장제 서술형

07 어떤 소금물 1 L에는 6.4 g의 소금이 녹아 있습니다. 이 소금물 2.5 L에 녹아 있는 소금의 양은 몇 g인지 구하시오.

| 문제 이해 |

녹아 있는 소금의 양

⇨ (소금물 1 L에 녹아 있는 소금의 양)×(소금물의 양)

| 해결 과정 |

$6.4\times2.5=\frac{64}{10}\times\frac{25}{10}=\frac{1600}{100}=16$

따라서 소금물 2.5 L에 녹아 있는 소금의 양은 ☐ g입니다.

08 어떤 설탕물 1 L에는 12.5 g의 설탕이 녹아 있습니다. 이 설탕물 3.2 L에 녹아 있는 설탕의 양은 몇 g인지 구하시오.

| 문제 이해 |

녹아 있는 설탕의 양

⇨ ______

| 해결 과정 |

---

09 길이가 3.6 cm인 색 테이프 6.5장을 겹치지 않게 이어 붙였습니다. 이어 붙인 색 테이프의 길이는 몇 cm인지 구하시오.

| 문제 이해 |

이어 붙인 색 테이프의 길이

⇨ (색 테이프 1장의 길이)×(색 테이프 장수)

| 해결 과정 |

$3.6\times6.5=\frac{36}{10}\times\frac{65}{10}=\frac{2340}{100}=23.4$

따라서 이어 붙인 색 테이프의 길이는 ☐ cm입니다.

10 사과 한 상자의 무게가 4.8 kg인 사과 상자가 있습니다. 사과 4상자 반의 무게는 몇 kg인지 구하시오.

| 문제 이해 |

사과 상자의 무게 ⇨ ______

| 해결 과정 |

---

11 한 시간에 4.2 cm씩 타는 양초가 있습니다. 처음 양초의 길이가 20 cm일 때 3시간 30분 동안 타고 남은 양초의 길이는 몇 cm인지 구하시오.

| 문제 이해 |

타고 남은 양초의 길이

⇨ (처음 양초의 길이)−(탄 양초의 길이)

| 해결 과정 |

3시간 30분은 3.5시간이므로 탄 양초의 길이는

$4.2\times3.5=\frac{42}{10}\times\frac{35}{10}=\frac{1470}{100}=14.7$(cm)입니다.

따라서 타고 남은 양초의 길이는

$20-14.7=$ ☐ (cm)입니다.

12 물탱크에서 1시간에 15.5 L씩 물이 새고 있습니다. 처음 물탱크에 있던 물의 양이 100 L일 때 5시간 12분 후에 물탱크에 남아 있는 물은 몇 L인지 구하시오.

| 문제 이해 |

남아 있는 물의 양

⇨ ______

| 해결 과정 |

스스로 푸는 서술형

13 평행사변형, 직사각형, 정사각형 중에서 넓이가 가장 넓은 도형은 무엇인지 쓰시오.

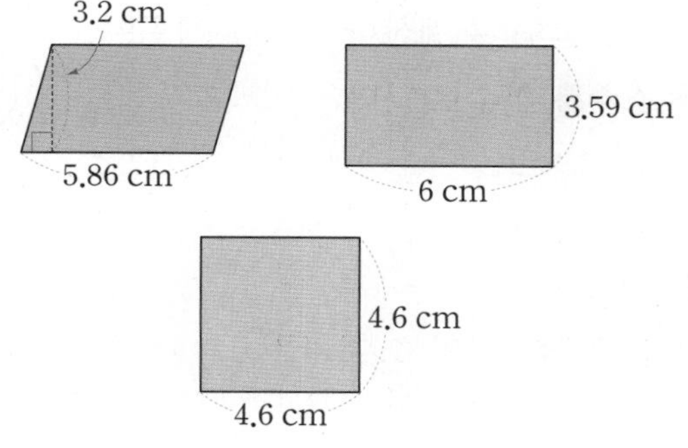

| 해결 과정 |

답

14 □ 안에 들어갈 수 있는 자연수는 모두 몇 개인지 구하시오.

$4.2 \times 6.7 < \square < 3.5 \times 9.3$

| 해결 과정 |

답

15 4장의 카드 중에서 3장을 뽑아 소수 한 자리 수를 만들려고 합니다. 만들 수 있는 가장 큰 소수와 가장 작은 소수의 곱을 구하시오.

| 해결 과정 |

답

16 1분에 8.5 L의 물이 나오는 수도를 틀어 욕조에 물을 받는 데 욕조의 바닥에 구멍이 생겨 1분에 0.8 L씩 물이 샌다고 합니다. 이 욕조에 12분 30초 동안 수도를 틀어 물을 받는다면 욕조에 있는 물은 몇 L가 되는지 구하시오.

| 해결 과정 |

답

14 곱의 소수점 위치

우리는 앞 단원에서 1.3×1.6과 같은 (1보다 큰 소수)×(1보다 큰 소수)를 계산하는 방법을 알아보았습니다. (1보다 큰 소수)×(1보다 큰 소수)는 소수를 분수로 나타내어 분수의 곱셈으로 계산하거나 자연수의 곱셈을 이용하여 계산하였습니다.

1.3×1.6
⇨ 13×16=208이므로
1.3×1.6=2.08입니다.

그렇다면 소수의 곱셈에서 곱의 소수점 위치는 어떻게 달라질까요?
소수에 10, 100, 1000을 곱하면 곱하는 수의 0이 하나씩 늘어날 때마다 곱의 소수점이 오른쪽으로 한 칸씩 옮겨지고,
자연수에 0.1, 0.01, 0.001을 곱하면 곱하는 소수의 소수점 아래 자리 수가 하나씩 늘어날 때마다 곱의 소수점이 왼쪽으로 한 칸씩 옮겨집니다.

소수와 자연수의 곱의 순서가 바뀌어도 소수점의 위치를 구하는 방법은 같습니다.

0.24×10 ⇨ 02.4 ⇨ 2.4 (1개, 1칸 이동) ↓10배	320×0.1 ⇨ 32.0 ⇨ 32 (소수 한 자리 수, 1칸 이동) ↓0.1배
0.24×100 ⇨ 024. ⇨ 24 (2개, 2칸 이동) ↓10배	320×0.01 ⇨ 3.20 ⇨ 3.2 (소수 두 자리 수, 2칸 이동) ↓0.1배
0.24×1000 ⇨ 0240. ⇨ 240 (3개, 3칸 이동)	320×0.001 ⇨ 0.320 ⇨ 0.32 (소수 세 자리 수, 3칸 이동)

곱의 소수점을 오른쪽(왼쪽)으로 옮길 때 소수점을 옮길 자리가 없으면 오른쪽(왼쪽)으로 0을 더 채워 쓰면서 옮깁니다.

(소수)×(소수)에서 곱의 소수점 위치는 자연수끼리 계산한 결과에 곱하는 두 수의 소수점 아래 자리 수를 더한 것만큼 소수점을 왼쪽으로 옮겨 표시해 주면 됩니다.

9×3=27 ⇨ 0.9 (소수 한 자리 수) × 0.3 (소수 한 자리 수) = 0.27 (소수 두 자리 수)	154×28=4312 ⇨ 1.54 (소수 두 자리 수) × 2.8 (소수 한 자리 수) = 4.312 (소수 세 자리 수)

여기서 곱의 소수점 위치는 어떤 상황에서 나타나는지 알아봅시다. □ 안에 알맞은 수를 써넣으시오.

> 음료수 한 병의 무게는 0.65 kg입니다. 음료수 10병, 100병, 1000병의 무게는 각각 몇 kg일까요?

음료수 10병의 무게는 0.65×10=6.5(kg)이고, 음료수 100병의 무게는 0.65×100=65(kg)이며 음료수 1000병의 무게는 0.65×1000=□(kg)입니다.

답 650

풍산자 비법 두 소수의 곱의 소수점 아래 자리 수는 곱하는 두 소수의 소수점 아래 자리 수의 합과 같다.

따라 푸는 서술형

01 ㉠은 ㉡의 몇 배인지 구하시오.

$23.19 \times ㉠ = 231.9$
$231.9 \times ㉡ = 2.319$

| 해결 과정 |

$23.19 \times ㉠ = 231.9$에서 ㉠은 10입니다.
$231.9 \times ㉡ = 2.319$에서 ㉡은 0.01입니다.
따라서 ㉠은 ㉡의 ☐ 배입니다.

02 ㉠은 ㉡의 몇 배인지 구하시오.

$5.625 \times ㉠ = 562.5$
$56.25 \times ㉡ = 5.625$

| 해결 과정 |

03 ☐ 안에 알맞은 수를 구하시오.

$0.028 \times 46 = 28 \times ☐$

| 해결 과정 |

0.028은 소수 세 자리 수이므로
0.028×46의 계산 결과는 소수 세 자리 수이고 ☐ 안에 알맞은 수도 소수 세 자리 수이어야 합니다.
따라서 ☐ 안에 알맞은 수는 ☐ 입니다.

04 ☐ 안에 알맞은 수를 구하시오.

$8.16 \times 12.03 = 816 \times ☐$

| 해결 과정 |

05 바르게 계산한 것을 찾아 기호를 쓰시오.

㉠ $2.58 \times 0.42 = 1.0836$
㉡ $5.9 \times 0.018 = 1.062$

| 해결 과정 |

㉠ $258 \times 42 = 10836$이고
(소수 두 자리 수)×(소수 두 자리 수)는 소수 네 자리 수이므로 $2.58 \times 0.42 = 1.0836$입니다.
㉡ $59 \times 18 = 1062$이고
(소수 한 자리 수)×(소수 세 자리 수)는 소수 네 자리 수이므로 $5.9 \times 0.018 = 0.1062$입니다.
따라서 바르게 계산한 것은 ☐ 입니다.

06 바르게 계산한 것을 찾아 기호를 쓰시오.

㉠ $52.8 \times 0.24 = 126.72$
㉡ $0.083 \times 57.6 = 4.7808$

| 해결 과정 |

따라 푸는 문장제 서술형

07 포도 주스 1병의 무게는 0.756 kg입니다. 포도 주스 10병, 1000병의 무게는 각각 몇 kg인지 구하시오.

| 문제 이해 |

포도 주스 ■병의 무게 ⇨ (포도 주스 1병의 무게)×■

| 해결 과정 |

포도 주스 10병의 무게는 $0.756\times10=7.56$(kg)이고,
포도 주스 1000병의 무게는
$0.756\times1000=$☐(kg)입니다.

08 테니스 공 1개의 무게는 0.268 kg입니다. 테니스 공 100개, 1000개의 무게는 각각 몇 kg인지 구하시오.

| 문제 이해 |

테니스 공 ■개의 무게 ⇨ ____________________

| 해결 과정 |

09 굵기가 일정한 철사 1 cm의 무게는 0.046 g입니다. 이 철사 1 m의 무게는 몇 g인지 구하시오.

| 문제 이해 |

1 m ⇨ 100 cm

| 해결 과정 |

1 m는 100 cm이므로 철사 1 m의 무게는
$0.046\times100=$☐(g)입니다.

10 어떤 밀가루 1 g에는 0.925 g의 탄수화물 성분이 있습니다. 이 밀가루 1 kg에 들어 있는 탄수화물 성분은 몇 g인지 구하시오.

| 문제 이해 |

1 kg ⇨ ____________________

| 해결 과정 |

11 어느 문구점에서는 사용한 돈의 0.01만큼 포인트 점수를 줍니다. 유림이가 이 문구점에서 어제는 5200원, 오늘은 2600원을 사용하였다면 유림이가 얻은 포인트 점수는 모두 몇 점인지 구하시오.

| 문제 이해 |

포인트 점수 ⇨ (사용한 돈)×0.01

| 해결 과정 |

유림이가 어제와 오늘 사용한 돈은 모두
$5200+2600=7800$(원)입니다.
따라서 유림이가 얻은 포인트 점수는
$7800\times0.01=$☐(점)입니다.

12 어느 서점에서는 사용한 돈의 0.1만큼 포인트 점수를 줍니다. 예림이가 이 서점에서 어제는 12000원, 오늘은 9000원을 사용하였다면 예림이가 얻은 포인트 점수는 모두 몇 점인지 구하시오.

| 문제 이해 |

포인트 점수 ⇨ ____________________

| 해결 과정 |

스스로 푸는 서술형

13 어떤 수에 100을 곱했더니 25.36이 되었습니다. 어떤 수를 구하시오.

| 해결 과정 |

답

14 계산 결과가 작은 것부터 차례대로 기호를 쓰시오.

㉠ 23×0.5 ㉡ 2.3×0.5
㉢ 0.23×0.05 ㉣ 0.23×0.5

| 해결 과정 |

답

15 영미와 서진이가 소수의 곱셈을 한 것입니다. 바르게 계산한 사람은 누구인지 쓰시오.

영미: $8.4\times0.1=84$
서진: $587\times0.01=5.87$

| 해결 과정 |

16 민정이는 친구들에게 줄 선물로 3.5 g짜리 사탕 1000개와 20.18 g짜리 초콜릿 100개를 샀습니다. 민정이가 산 사탕과 초콜릿의 무게는 모두 몇 g인지 구하시오.

| 해결 과정 |

답

단계별로, 문제해결 능력을 키우자!

지금까지 우리는 소수의 곱셈을 배웠습니다.
힘들었을 텐데, 잘 풀었어요!

자, 그럼 마지막으로 지금까지 배운 소수의 곱셈을 모두 이용해서
우리 함께 서술형 문제를 해결해 볼까요?
단계별로 문제를 해결하다 보면 어려운 서술형도 쉬워질 거예요.

4장의 수 카드를 □ 안에 한 번씩 사용하여 곱이 가장 작게 되는 곱셈식을 만들었습니다. 만든 식의 계산한 값을 구하시오.

1 3 4 7 ⇨ □.□ × □.□

실타래 찾기 ▶ 높은 자리에 작은 수를 놓아 곱이 가장 작은 곱셈식을 만듭니다.

실타래 풀기 ▶ **단계 1 :** 두 소수의 자연수 부분에 알맞은 수를 각각 구합니다.

단계 2 : 두 소수의 소수점 아래에 알맞은 수를 각각 구합니다.

단계 3 : 곱이 가장 작도록 □ 안에 수를 넣어 곱을 구합니다.

나만의 해설 쓰기 :

정답 :

5

직육면체

공부할 내용	공부한 날
15 직육면체와 정육면체	월 일
16 직육면체의 성질과 겨냥도	월 일
17 정육면체와 직육면체의 전개도	월 일

15 직육면체와 정육면체

우리는 [수학 3-1] 평면도형에서 직사각형과 정사각형을 알아보았습니다. 네 각이 모두 직각인 사각형을 직사각형이라고 하였고, 네 각이 모두 직각이고 네 변의 길이가 모두 같은 사각형을 정사각형이라고 하였습니다.

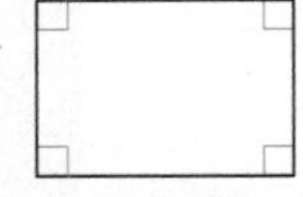
직사각형

정사각형

정사각형은 직사각형이라고 할 수 있지만 직사각형은 정사각형이라고 할 수 없습니다.

그렇다면 직사각형 또는 정사각형으로 둘러싸인 상자 모양의 도형을 무엇이라고 할까요?

오른쪽 그림과 같이 직사각형 6개로 둘러싸인 도형을 **직육면체**라고 합니다.

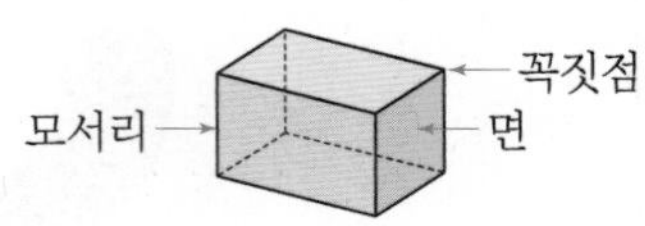

직육면체에서 선분으로 둘러싸인 부분을 **면**이라고 하고, 면과 면이 만나는 선분을 **모서리**라고 하며, 모서리와 모서리가 만나는 점을 **꼭짓점**이라고 합니다.

정육면체는 직육면체라고 할 수 있지만 직육면체는 정육면체라고 할 수 없습니다.

특히, 직육면체 중에서 정사각형 6개로 둘러싸인 도형을 **정육면체**라고 합니다.

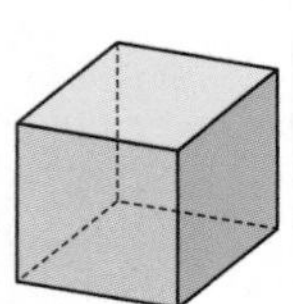

직육면체와 정육면체의 공통점과 차이점을 찾아보면 다음과 같습니다.

도형	공통점			차이점	
	면의 수	모서리의 수	꼭짓점의 수	면의 모양	모서리의 길이
직육면체	6	12	8	직사각형	서로 다릅니다.
정육면체	6	12	8	정사각형	모두 같습니다.

직육면체의 특징
- 서로 마주 보는 면의 모양과 크기는 같습니다.
- 서로 평행한 모서리의 길이는 같습니다.

여기서 직육면체가 아닌 경우를 알아봅시다. □ 안에 알맞은 것을 써넣으시오.

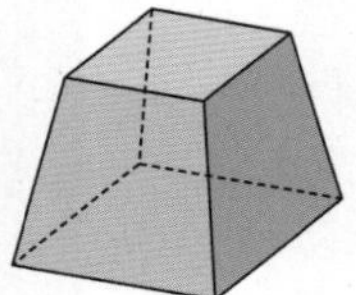

직육면체는 6개의 □으로 이루어져 있으나 왼쪽 도형은 4개의 사다리꼴과 2개의 직사각형으로 이루어져 있습니다.
따라서 왼쪽 도형은 직육면체가 아닙니다.

답 직사각형

풍산자 비법

❶ 직육면체 ⇨ 직사각형 6개로 둘러싸인 도형
❷ 정육면체 ⇨ 정사각형 6개로 둘러싸인 도형

따라 푸는 서술형

01 직육면체를 찾아 기호를 쓰시오.

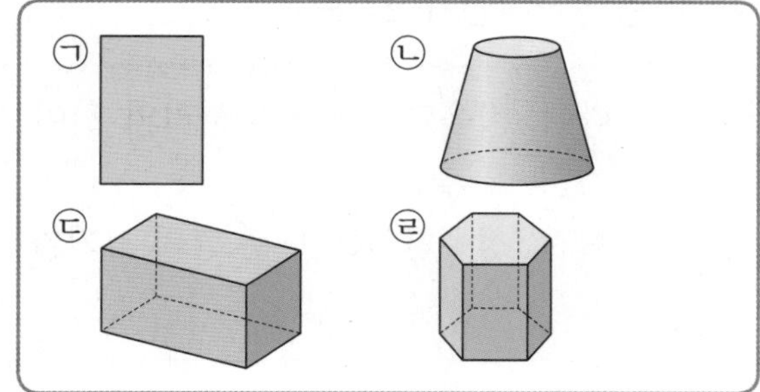

| 해결 과정 |

직사각형 6개로 둘러싸인 도형을 직육면체라고 합니다.
따라서 직육면체는 [   ]입니다.

02 정육면체를 찾아 기호를 쓰시오.

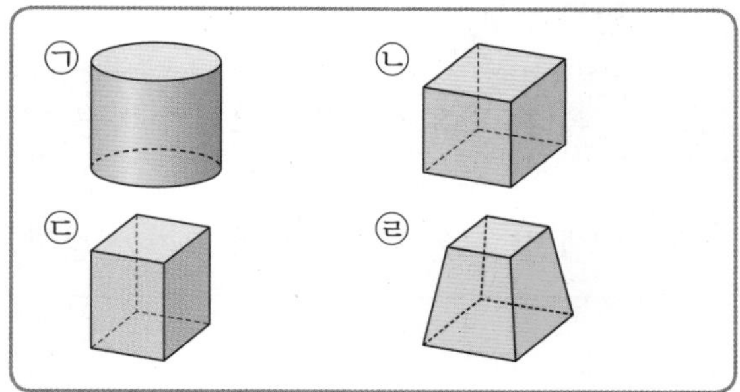

| 해결 과정 |

03 직육면체를 구성하는 각각의 요소의 이름을 쓰시오.

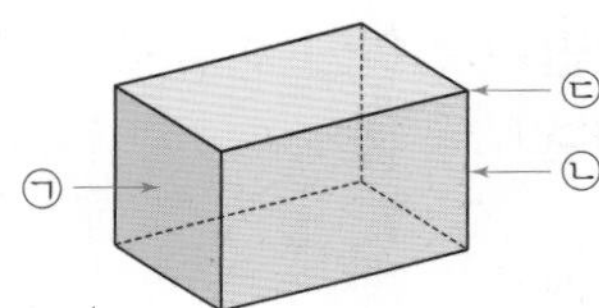

| 해결 과정 |

직육면체에서 선분으로 둘러싸인 부분인 ㉠은 면,
면과 면이 만나는 선분인 ㉡은 모서리,
모서리와 모서리가 만나는 점인 ㉢은 [   ]입니다.

04 정육면체를 구성하는 각각의 요소의 이름을 쓰시오.

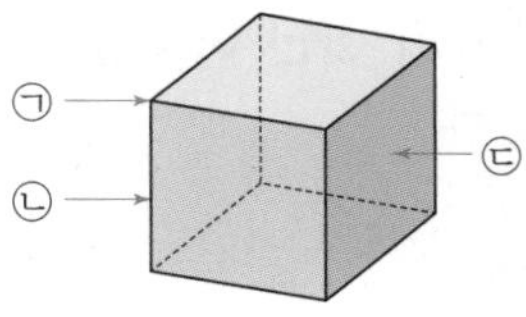

| 해결 과정 |

05 직육면체에서 면의 수를 ㉠개, 모서리의 수를 ㉡개, 꼭짓점의 수를 ㉢개라고 할 때, ㉠+㉡+㉢을 구하시오.

| 해결 과정 |

직육면체에서 면은 6개이므로 ㉠=6, 모서리는 12개이므로 ㉡=12, 꼭짓점은 8개이므로 ㉢=8입니다.
따라서 ㉠+㉡+㉢=6+12+8=[   ]입니다.

06 정육면체에서 면의 수를 ㉠개, 모서리의 수를 ㉡개, 꼭짓점의 수를 ㉢개라고 할 때, ㉠+㉡−㉢을 구하시오.

| 해결 과정 |

따라 푸는 문장제 서술형

07 직육면체와 정육면체에 대해 바르게 설명한 사람은 누구인지 쓰시오.

> 유나: 직육면체에는 크기가 다른 면이 있을 수도 있어.
> 세진: 모든 정육면체의 크기는 같아.

| 문제 이해 |

직육면체 ⇨ 직사각형 6개로 둘러싸인 도형
정육면체 ⇨ 정사각형 6개로 둘러싸인 도형

| 해결 과정 |

직육면체는 직사각형 모양에 따라 크기가 다른 면이 있을 수도 있습니다. 정육면체는 둘러싸고 있는 정사각형의 크기에 따라 정육면체의 크기가 달라지므로 모든 정육면체의 크기는 같지 않습니다.
따라서 바르게 설명한 사람은 ☐입니다.

08 직육면체와 정육면체에 대해 바르게 설명한 사람은 누구인지 쓰시오.

> 다예: 직육면체에서 모서리의 길이는 모두 같아.
> 희진: 정육면체는 모든 면의 크기가 똑같아.

| 문제 이해 |

직육면체 ⇨ ____________

정육면체 ⇨ ____________

| 해결 과정 |

09 직육면체가 아닌 이유를 설명하시오.

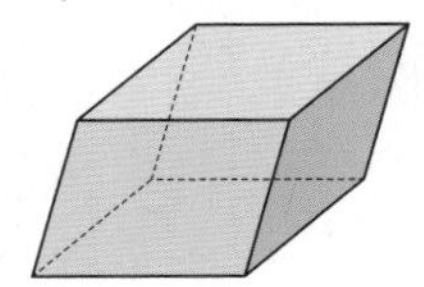

| 문제 이해 |

직육면체 ⇨ 직사각형 6개로 둘러싸인 도형

| 해결 과정 |

직육면체는 직사각형 6개로 둘러싸인 도형입니다. 주어진 도형은 직사각형이 아닌 평행사변형으로 둘러싸인 도형이므로 ☐라고 할 수 없습니다.

10 정육면체가 아닌 이유를 설명하시오.

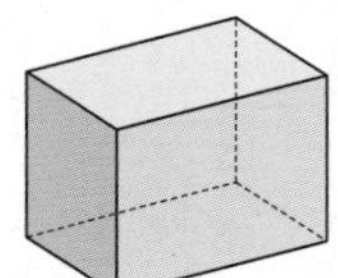

| 문제 이해 |

정육면체 ⇨ ____________

| 해결 과정 |

11 직육면체의 모든 모서리의 길이의 합을 구하시오.

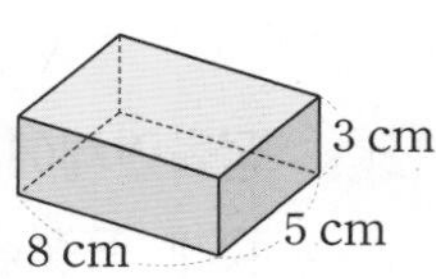

| 문제 이해 |

직육면체의 모서리
⇨ 서로 평행한 모서리의 길이는 같다.

| 해결 과정 |

직육면체에는 길이가 같은 모서리가 4개씩 3쌍이 있습니다. 길이가 8 cm, 5 cm, 3 cm인 세 모서리의 길이의 합은 $8+5+3=16$(cm)이므로 직육면체의 모든 모서리의 길이의 합은 $16\times4=$☐(cm) 입니다.

12 정육면체의 모든 모서리의 길이의 합을 구하시오.

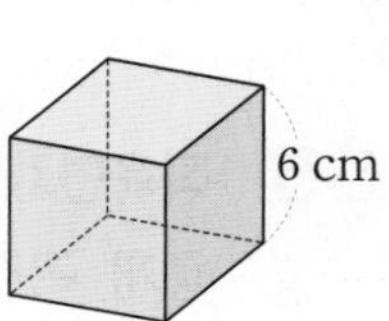

| 문제 이해 |

정육면체의 모서리
⇨ ____________

| 해결 과정 |

스스로 푸는 서술형

13 직육면체에서 보이는 면의 개수를 ㉠개, 보이는 모서리의 개수를 ㉡개, 보이는 꼭짓점의 개수를 ㉢개라고 할 때, ㉠+㉡−㉢을 구하시오.

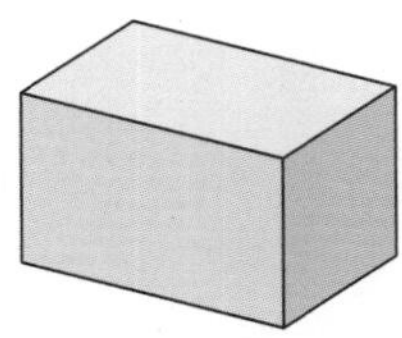

| 해결 과정 |

14 두 도형의 공통점과 차이점을 쓰시오.

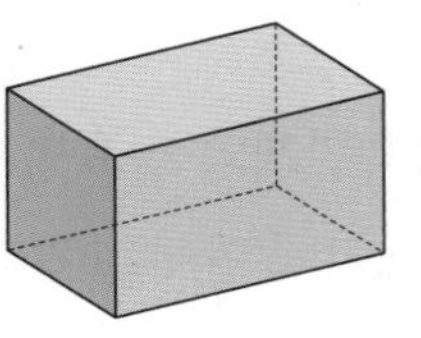

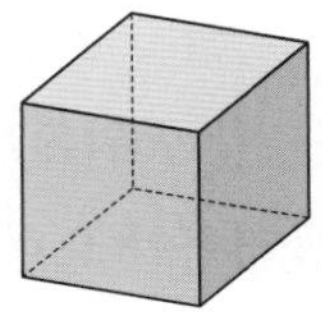

| 해결 과정 |

15 직육면체에 대한 설명 중 잘못 설명한 것을 찾아 기호를 쓰시오.

㉠ 서로 평행한 모서리의 길이는 같습니다.
㉡ 마주 보는 면의 모양과 크기는 같지 않습니다.
㉢ 모든 직육면체는 정육면체라고 할 수 없습니다.

| 해결 과정 |

답

16 직육면체의 모든 모서리의 길이의 합과 정육면체의 모든 모서리의 길이의 합이 같을 때, 정육면체의 한 모서리의 길이는 몇 cm인지 구하시오.

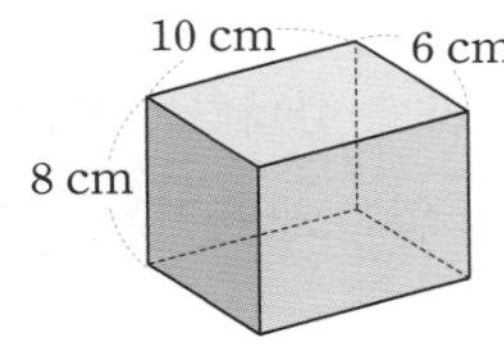

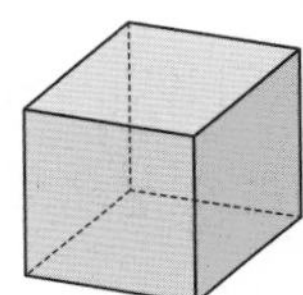

| 해결 과정 |

16 직육면체의 성질과 겨냥도

우리는 앞 단원에서 직육면체와 정육면체를 알아보았습니다. 직육면체는 직사각형 6개로 둘러싸인 도형이고, 정육면체는 정사각형 6개로 둘러싸인 도형이었습니다.

그렇다면 직육면체는 어떤 성질이 있을까요?

오른쪽 그림과 같이 직육면체에서 색칠한 두 면처럼 계속 늘여도 만나지 않는 두 면을 서로 평행하다고 하고, 이 두 면을 직육면체의 **밑면**이라고 합니다. 직육면체에는 평행한 면이 3쌍 있고 이 평행한 면은 각각 밑면이 될 수 있습니다.

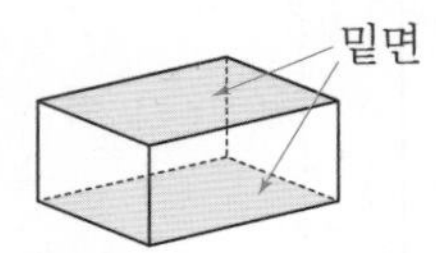

직육면체에서 평행한 3쌍의 면은 서로 모양과 크기가 같습니다.

직육면체에서 한 면과 만나는 면들은 서로 수직이고, 밑면과 수직인 면을 직육면체의 **옆면**이라고 합니다.

직육면체에는 한 밑면과 수직인 면이 4개 있고 이 수직인 면은 각각 옆면이 될 수 있습니다.

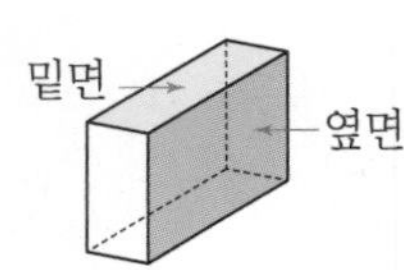

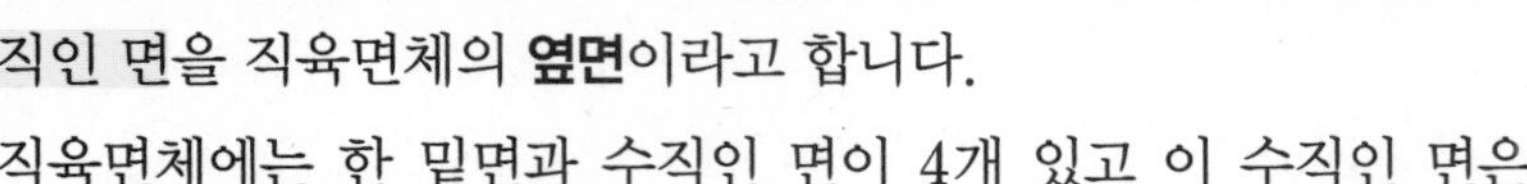

면 ㄱㄴㄷㄹ과 평행한 면 ⇨ 면 ㅁㅂㅅㅇ
면 ㄱㄴㅂㅁ과 평행한 면 ⇨ 면 ㄹㄷㅅㅇ
면 ㄱㅁㅇㄹ과 평행한 면 ⇨ 면 ㄴㅂㅅㄷ
면 ㄱㄴㄷㄹ과 수직인 면 ⇨ 면 ㄴㅂㅁㄱ, 면 ㄴㅂㅅㄷ, 면 ㄷㅅㅇㄹ, 면 ㄱㅁㅇㄹ

직육면체에서 한 꼭짓점과 만나는 면들은 모두 3개이며 한 꼭짓점을 중심으로 모두 직각입니다.

직육면체 모양을 잘 알 수 있도록 나타낸 오른쪽과 같은 그림을 직육면체의 **겨냥도**라고 합니다. 겨냥도에서 보이는 모서리는 실선으로, 보이지 않는 모서리는 점선으로 그립니다.

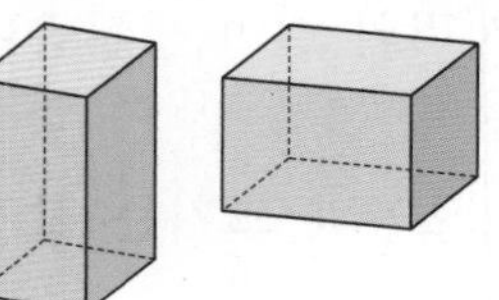

직육면체의 겨냥도에서 보이는 모서리는 9개, 보이지 않는 모서리는 3개입니다.

여기서 직육면체의 겨냥도를 보고 보이지 않는 부분을 알아봅시다. □ 안에 알맞은 것을 써넣으시오.

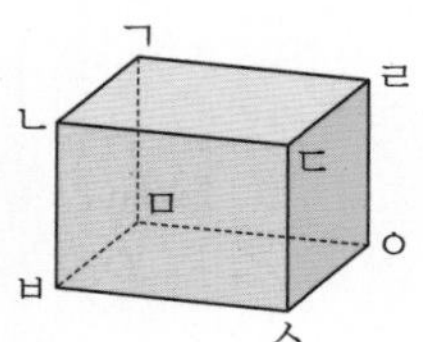

왼쪽 직육면체의 겨냥도에서
보이지 않는 면은 면 ㄱㄴㅂㅁ, 면 ㄱㅁㅇㄹ, 면 ㅁㅂㅅㅇ이고,
보이지 않는 모서리는 모서리 ㄱㅁ, 모서리 ㅁㅂ, 모서리 ㅁㅇ이며
보이지 않는 점은 □입니다.

답 점 ㅁ

풍산자 비법

❶ 직육면체의 성질 ⇨ 서로 마주 보고 있는 3쌍의 면은 평행하고, 서로 만나는 면은 수직이다.
❷ 겨냥도 ⇨ 보이는 모서리는 실선으로, 보이지 않는 모서리는 점선으로 그린다.

따라 푸는 서술형

01 직육면체에서 면 ㄱㄴㄷㄹ과 수직인 면을 모두 찾아 쓰시오.

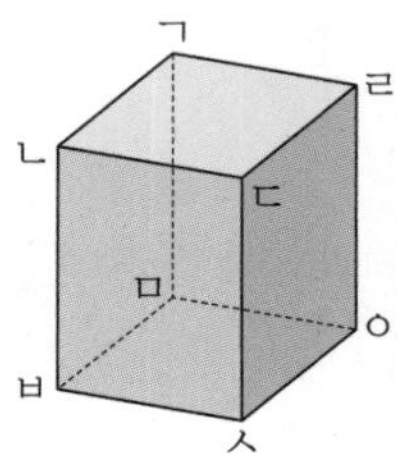

| 해결 과정 |

면 ㄱㄴㄷㄹ과 수직인 면은 면 ㄱㄴㅂㅁ, 면 ㄴㅂㅅㄷ, 면 ㄷㅅㅇㄹ, [ ]입니다.

02 직육면체에서 면 ㄴㅂㅅㄷ과 수직인 면을 모두 찾아 쓰시오.

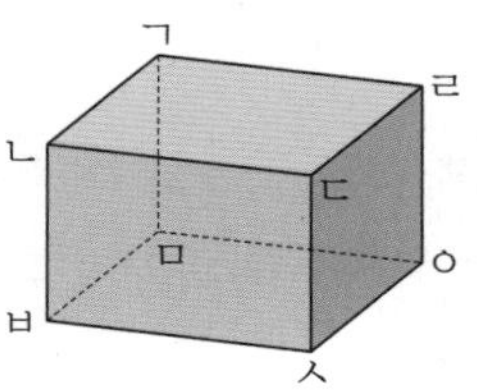

| 해결 과정 |

03 직육면체의 겨냥도를 바르게 그린 것을 찾아 기호를 쓰시오.

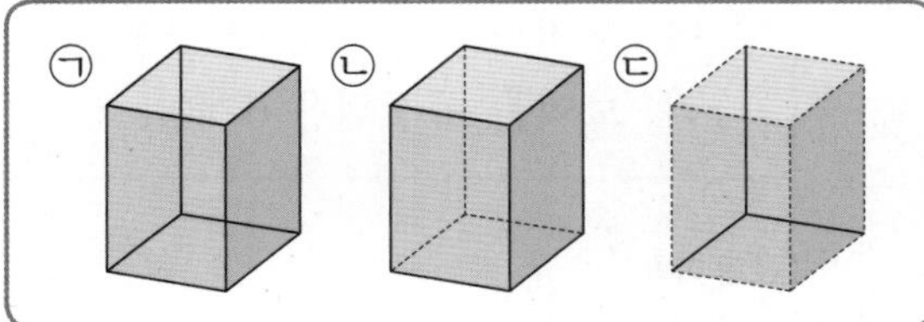

| 해결 과정 |

겨냥도는 보이는 모서리는 실선으로, 보이지 않는 모서리는 점선으로 그려야 합니다.
따라서 겨냥도를 바르게 그린 것은 [ ]입니다.

04 직육면체의 겨냥도를 바르게 그린 것을 찾아 기호를 쓰시오.

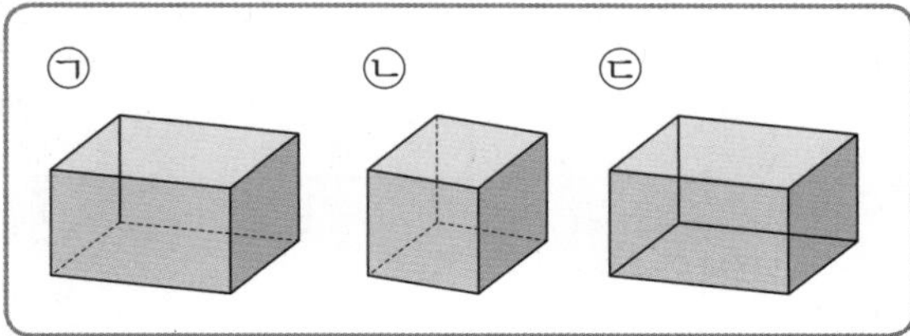

| 해결 과정 |

05 직육면체에서 보이는 모서리의 길이의 합은 몇 cm인지 구하시오.

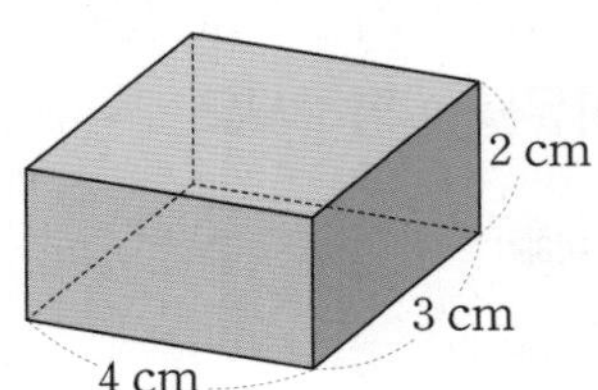

| 해결 과정 |

보이는 모서리의 길이는 4 cm가 3개, 2 cm가 3개, 3 cm가 3개입니다.
따라서 직육면체에서 보이는 모서리의 길이의 합은
$(4+2+3)\times3=9\times3=$ [ ](cm)입니다.

06 직육면체에서 보이는 모서리의 길이의 합은 몇 cm인지 구하시오.

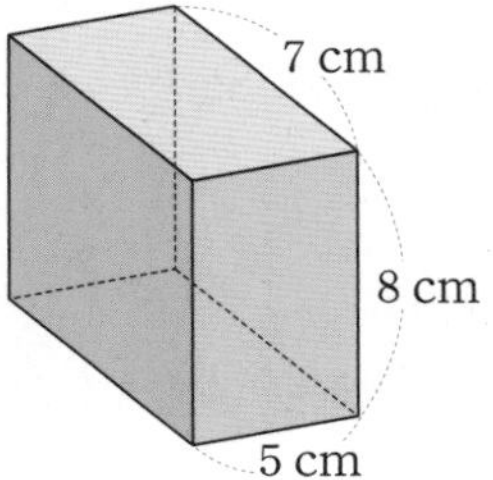

| 해결 과정 |

따라 푸는 문장제 서술형

07 직육면체에서 면 ㄱㄴㄷㄹ과 평행한 면의 모서리의 길이의 합을 구하시오.

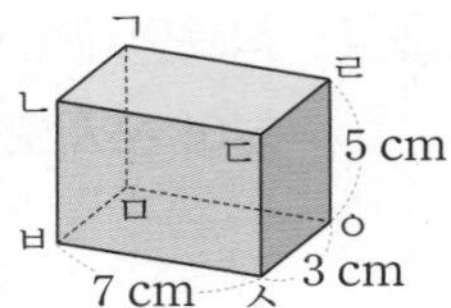

| 문제 이해 |

면 ㄱㄴㄷㄹ과 평행한 면 ⇨ 면 ㅁㅂㅅㅇ

| 해결 과정 |

면 ㄱㄴㄷㄹ과 평행한 면은 면 ㅁㅂㅅㅇ입니다.
면 ㅁㅂㅅㅇ의 네 변의 길이는 7 cm, 3 cm, 7 cm, 3 cm 이므로 모서리의 길이의 합은
$7+3+7+3=$ ☐ (cm)입니다.

08 직육면체에서 면 ㄱㅁㅇㄹ과 평행한 면의 모서리의 길이의 합을 구하시오.

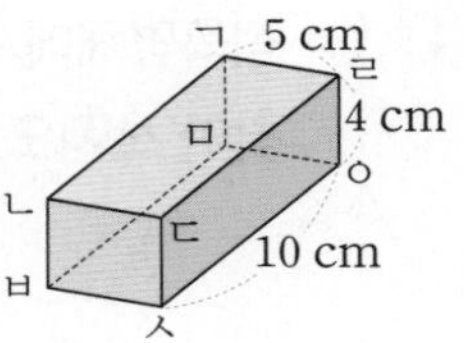

| 문제 이해 |

면 ㄱㅁㅇㄹ과 평행한 면 ⇨ ________

| 해결 과정 |

09 직육면체의 겨냥도에 대해 잘못 설명한 사람은 누구인지 쓰시오.

> 예슬: 점선으로 그려진 모서리는 4개야.
> 진호: 실선으로 그려진 모서리는 9개야.

| 문제 이해 |

겨냥도 그리기
⇨ 보이는 모서리는 실선, 보이지 않는 모서리는 점선

| 해결 과정 |

겨냥도는 보이는 모서리는 실선으로, 보이지 않는 모서리는 점선으로 그려야 합니다. 직육면체의 모서리는 12개이고 보이는 모서리는 9개, 보이지 않는 모서리는 3개입니다.
따라서 잘못 설명한 사람은 ☐ 입니다.

10 직육면체의 겨냥도에 대해 잘못 설명한 사람은 누구인지 쓰시오.

> 유나: 보이지 않는 면은 3개야.
> 나리: 보이는 꼭짓점은 6개야.

| 문제 이해 |

겨냥도 그리기
⇨ ________

| 해결 과정 |

11 직육면체의 겨냥도를 잘못 그린 이유를 설명하시오.

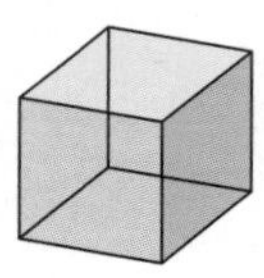

| 문제 이해 |

겨냥도 그리기
⇨ 보이는 모서리는 실선, 보이지 않는 모서리는 점선

| 해결 과정 |

겨냥도는 보이는 모서리는 실선으로, 보이지 않는 모서리는 ☐ 으로 그려야 합니다.
주어진 겨냥도는 보이지 않는 모서리까지 실선으로 그렸기 때문에 잘못되었습니다.

12 직육면체의 겨냥도를 잘못 그린 이유를 설명하시오.

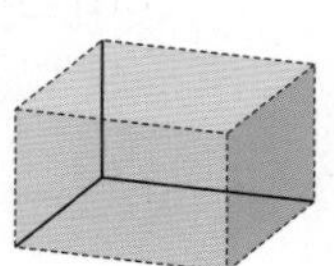

| 문제 이해 |

겨냥도 그리기
⇨ ________

| 해결 과정 |

스스로 푸는 서술형

13 직육면체의 겨냥도에서 ㉠+㉡−㉢을 구하시오.

㉠ 보이지 않는 꼭짓점의 수
㉡ 한 밑면과 수직인 면의 수
㉢ 보이지 않는 모서리의 수

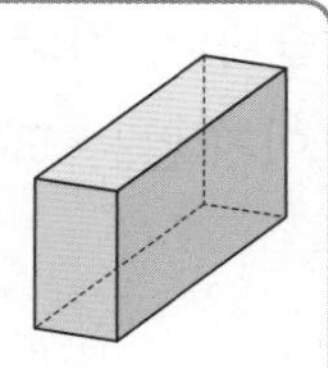

| 해결 과정 |

답

14 직육면체에서 면 ㄱㄴㄷㄹ과 면 ㄴㅂㅅㄷ에 동시에 수직인 면을 모두 찾아 쓰시오.

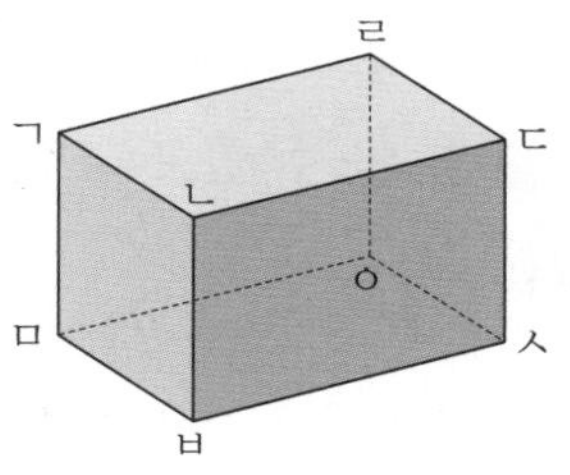

| 해결 과정 |

답

15 직육면체에 대해 잘못 설명한 사람은 누구인지 쓰시오.

수아: 한 꼭짓점에서 만나는 면은 서로 수직이야.
지호: 두 밑면은 계속 늘이면 언젠가 만나.

| 해결 과정 |

16 직육면체의 모양과 크기가 같은 면에 같은 색을, 모양과 크기가 다른 면에는 다른 색을 칠하려고 합니다. 모두 몇 가지 색이 필요한지 구하시오.

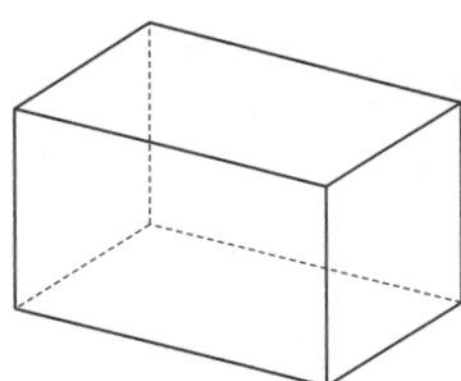

| 해결 과정 |

답

17 정육면체와 직육면체의 전개도

우리는 앞 단원에서 직육면체의 겨냥도에 대해서 알아보았습니다. 겨냥도는 직육면체의 모양을 잘 알 수 있도록 보이는 모서리는 실선으로, 보이지 않는 모서리는 점선으로 그렸습니다.

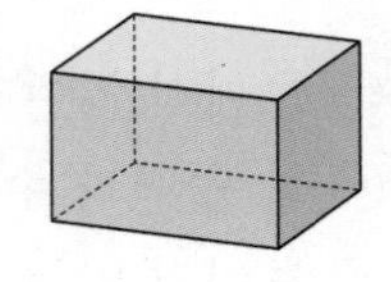

그렇다면 정육면체와 직육면체의 모서리를 잘라서 펼친 모양은 어떻게 나타낼까요?

정육면체(직육면체)의 모서리를 잘라서 펼쳐 놓은 그림을 정육면체(직육면체)의 **전개도**라고 합니다.

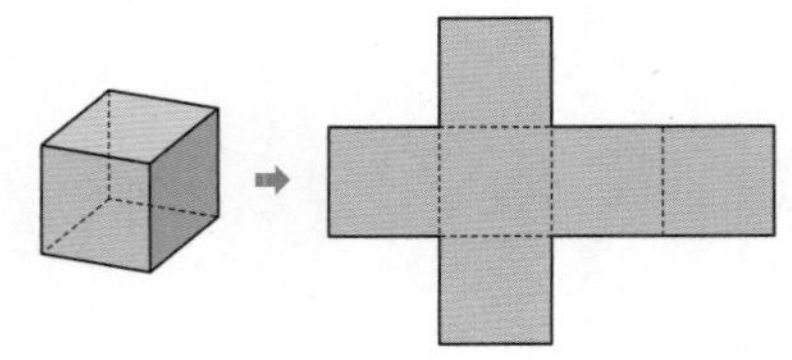

정육면체와 직육면체의 전개도에서 잘린 모서리는 실선으로, 잘리지 않는 모서리는 점선으로 표시합니다. 직육면체의 전개도를 살펴보면 다음과 같은 사실을 알 수 있습니다.

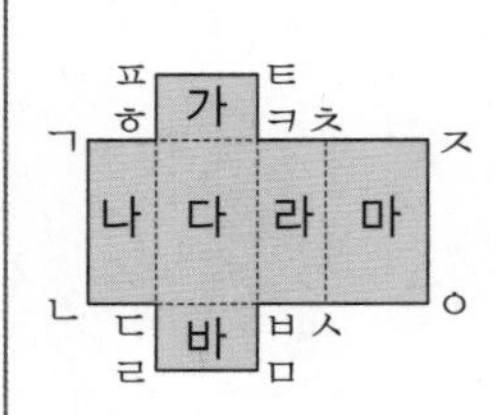

전개도를 접었을 때

- 점 ㅌ과 만나는 점 ⇨ 점 ㅊ
- 선분 ㅌㅋ과 만나는 모서리 ⇨ 선분 ㅊㅋ
- 면 **나**와 평행한 면 ⇨ 면 **라**
- 면 **다**와 수직인 면 ⇨ 면 **가**, 면 **나**, 면 **라**, 면 **바**

또한, 직육면체의 전개도는 모서리를 자르는 방법에 따라 다음과 같이 여러 가지 모양으로 그릴 수 있습니다.

정육면체의 전개도에서는 합동인 면이 6개 있습니다.

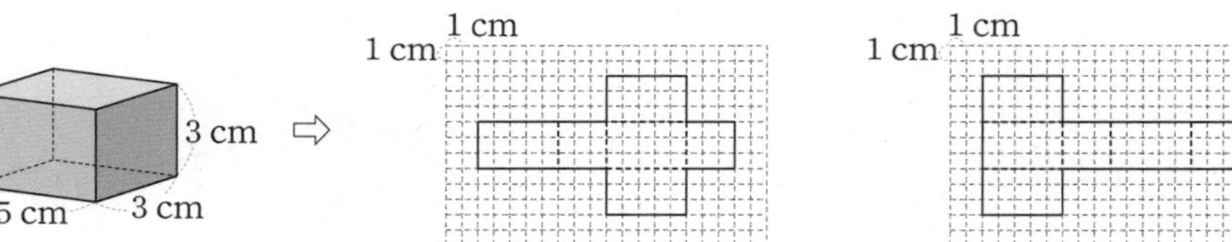

여기서 직육면체의 전개도가 아닌 경우를 알아봅시다. □ 안에 알맞은 수를 써넣으시오.

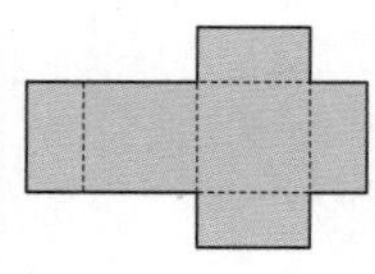

마주 보는 두 면의 모양과 크기가 같지 않아서 접었을 때 직육면체가 될 수 없습니다.

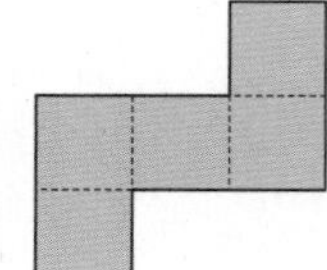

면의 수가 □개가 아니므로 직육면체의 전개도가 될 수 없습니다.

답 6

직육면체의 전개도를 바르게 그렸는지 확인하기 위해서는 모양과 크기가 같은 면이 3쌍인지, 접었을 때 만나는 모서리의 길이가 같은지, 접었을 때 겹쳐지는 면은 없는지 확인합니다.

풍산자 비법

전개도에서 잘린 모서리는 실선으로, 잘리지 않는 모서리는 점선으로 그린다.

따라 푸는 서술형

01 정육면체의 전개도가 될 수 있는 것을 모두 찾아 기호를 쓰시오.

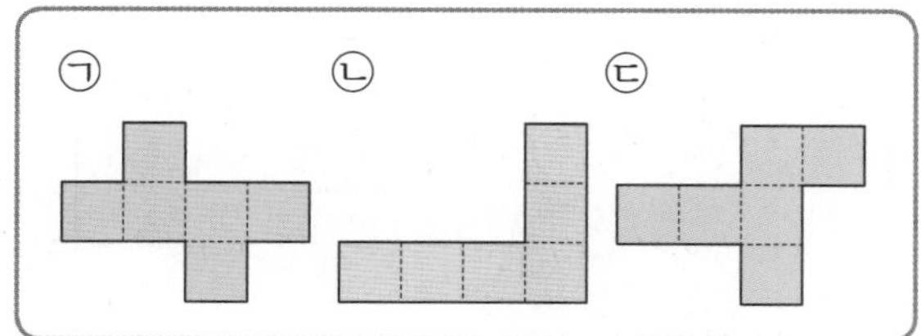

| 해결 과정 |

㉡은 접었을 때 겹치는 면이 있으므로 정육면체의 전개도가 될 수 없습니다.
따라서 정육면체의 전개도가 될 수 있는 것은 ㉠, ☐입니다.

02 정육면체의 전개도가 될 수 있는 것을 모두 찾아 기호를 쓰시오.

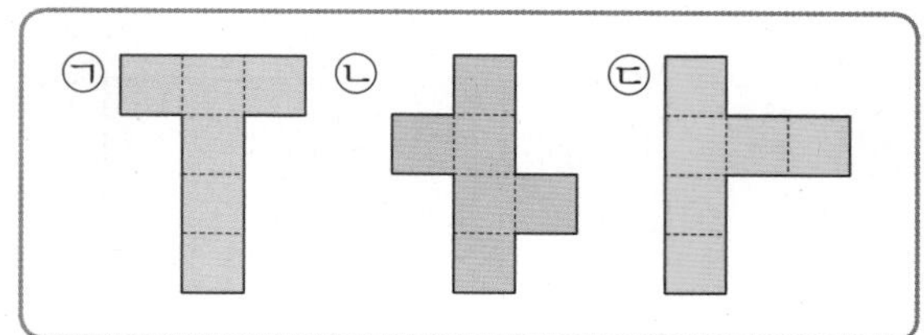

| 해결 과정 |

03 전개도를 접어서 직육면체를 만들었습니다. 면 '나'와 수직인 면을 모두 찾아 쓰시오.

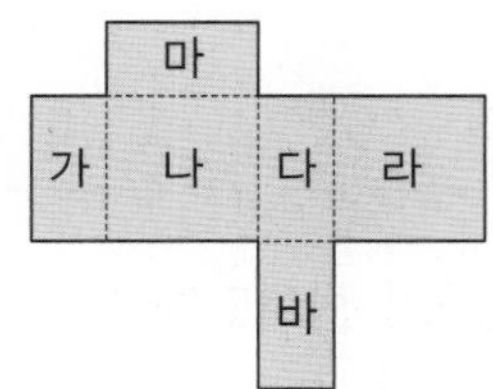

| 해결 과정 |

전개도를 접었을 때 면 나와 평행한 면인 면 라를 제외한 나머지 면은 모두 면 나와 수직입니다. 따라서 면 나와 수직인 면은 면 가, 면 다, 면 마, ☐입니다.

04 전개도를 접어서 정육면체를 만들었습니다. 면 '라'와 수직인 면을 모두 찾아 쓰시오.

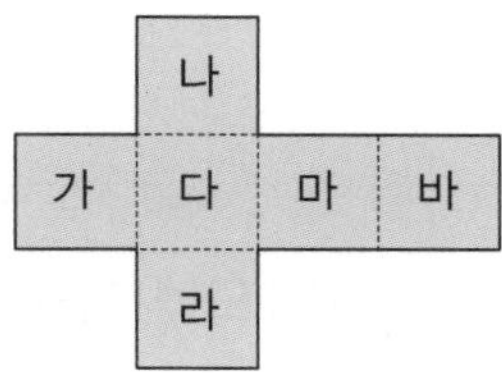

| 해결 과정 |

05 전개도를 접어서 정육면체를 만들었습니다. 면 ㅋㅂㅅㅊ과 평행한 면을 찾아 쓰시오.

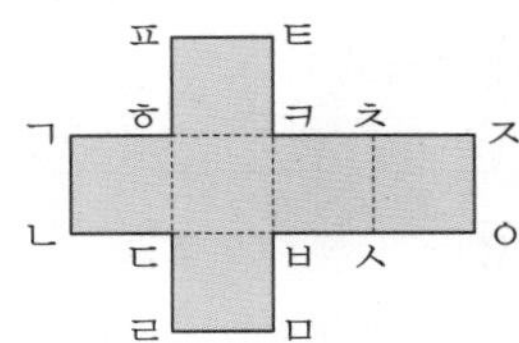

| 해결 과정 |

면 ㅋㅂㅅㅊ과 평행한 면은 면 ㅋㅂㅅㅊ과 마주 보는 면입니다.
따라서 면 ㅋㅂㅅㅊ과 평행한 면은 ☐입니다.

06 전개도를 접어서 정육면체를 만들었습니다. 면 ㅍㅎㅋㅌ과 평행한 면을 찾아 쓰시오.

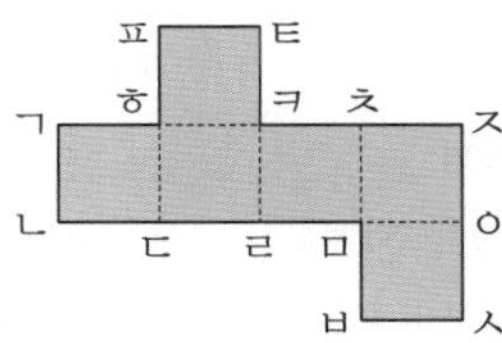

| 해결 과정 |

따라 푸는 문장제 서술형

07 직육면체의 전개도입니다. 선분 ㅅㅂ의 길이를 구하시오.

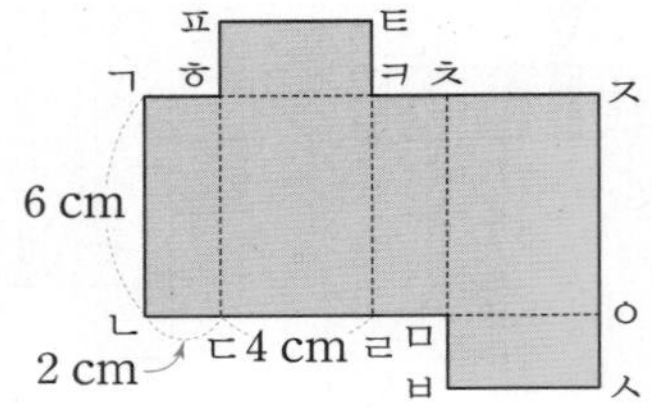

| 문제 이해 |

점 ㅅ과 만나는 점 ⇨ 점 ㄷ

점 ㅂ과 만나는 점 ⇨ 점 ㄹ

| 해결 과정 |

직육면체의 전개도를 접으면 점 ㅅ과 점 ㄷ, 점 ㅂ과 점 ㄹ이 만나므로 선분 ㅅㅂ은 선분 ㄷㄹ과 만납니다.
따라서 선분 ㅅㅂ의 길이는 선분 ㄷㄹ의 길이와 같고 ☐ cm입니다.

08 직육면체의 전개도입니다. 선분 ㅍㅎ의 길이를 구하시오.

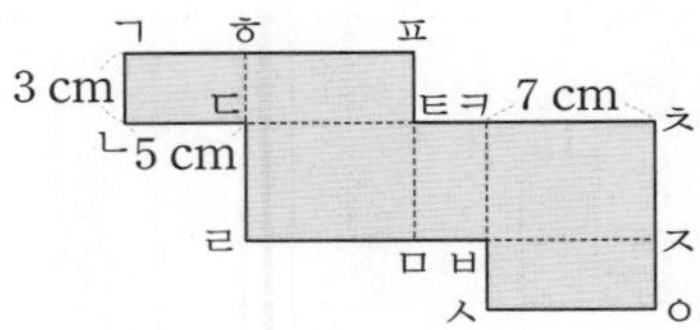

| 문제 이해 |

점 ㅍ과 만나는 점 ⇨ ____

점 ㅎ과 만나는 점 ⇨ ____

| 해결 과정 |

09 직육면체의 전개도에 대해 잘못 설명한 사람은 누구인지 쓰시오.

> 희선: 직육면체의 모서리를 잘라서 펼쳐 놓은 그림을 전개도라고 해.
> 건호: 직육면체의 전개도의 모양은 모두 똑같아.

| 문제 이해 |

직육면체 전개도

⇨ 직육면체의 모서리를 잘라서 펼쳐 놓은 그림

| 해결 과정 |

직육면체의 전개도는 직육면체의 모서리를 잘라서 펼쳐 놓은 그림입니다. 모서리를 자르는 방법에 따라 전개도의 모양은 달라질 수 있습니다.
따라서 잘못 설명한 사람은 ☐ 입니다.

10 직육면체의 전개도에 대해 잘못 설명한 사람은 누구인지 쓰시오.

> 인호: 직육면체의 전개도가 맞는지 확인하려면 모양과 크기가 같은 면이 2쌍인지 확인해야해.
> 주영: 잘리지 않은 모서리는 점선, 잘린 모서리는 실선으로 나타내야해.

| 문제 이해 |

직육면체 전개도

⇨ ________________

| 해결 과정 |

스스로 푸는 서술형

11 전개도를 접어서 직육면체를 만들려고 합니다. 면 '가'와 면 '나'에 동시에 수직인 면을 모두 찾아 쓰시오.

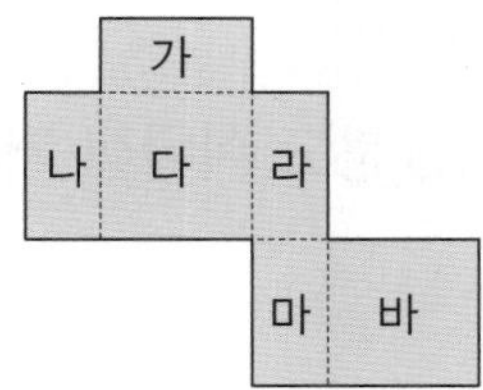

| 해결 과정 |

답

12 전개도를 접어 정육면체 모양의 주사위를 만들려고 합니다. 면 ㉠에 평행한 면의 눈과 면 ㉡에 평행한 면의 눈의 수의 합을 구하시오.

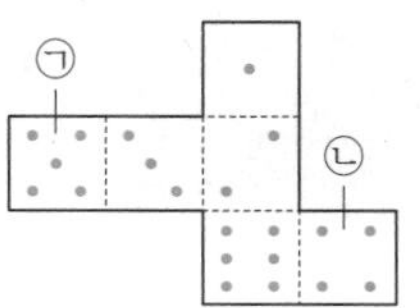

| 해결 과정 |

답

13 직육면체의 전개도가 아닌 이유를 쓰시오.

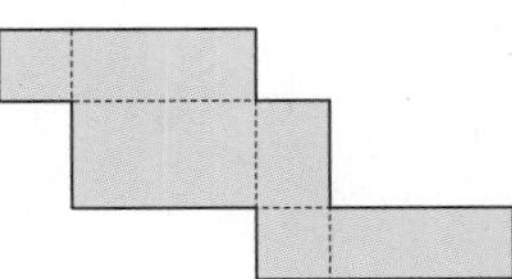

| 해결 과정 |

답

14 그림과 같이 무늬가 3개 그려져 있는 정육면체를 만들려고 합니다. 전개도에 무늬 1개를 그려 넣으시오.

| 해결 과정 |

답

단계별로, 문제해결 능력을 키우자!

지금까지 우리는 직육면체를 배웠습니다.
힘들었을 텐데, 잘 풀었어요!

자, 그럼 마지막으로 지금까지 배운 직육면체를 모두 이용해서
우리 함께 서술형 문제를 해결해 볼까요?
단계별로 문제를 해결하다 보면 어려운 서술형도 쉬워질 거예요.

직육면체와 정육면체의 모든 모서리의 길이의 합은 같습니다. 정육면체의 한 모서리의 길이는 몇 cm인지 구하시오.

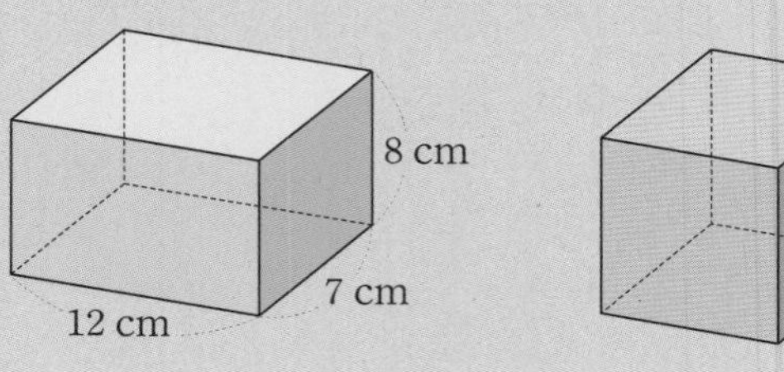

실타래 찾기 ▶ 직육면체에서 길이가 같은 모서리는 4개씩 3쌍이 있습니다.

실타래 풀기 ▶ **단계 1 :** 직육면체의 모든 모서리의 길이의 합을 구합니다.

단계 2 : 정육면체의 한 모서리의 길이를 구합니다.

나만의 해설 쓰기 :

정답 :

6

평균과 가능성

공부할 내용	공부한 날
18 평균 구하기	월 일
19 평균 이용하기	월 일
20 일이 일어날 가능성	월 일

18 평균 구하기

우리는 [수학 4-1] 막대그래프에서 막대그래프를 알아보았습니다. 조사한 자료를 오른쪽 그림과 같이 막대 모양으로 나타낸 그래프를 막대그래프라고 하였습니다. 이 막대그래프를 통해 가장 많은 학생들이 좋아하는 과목은 수학임을 알 수 있었습니다.

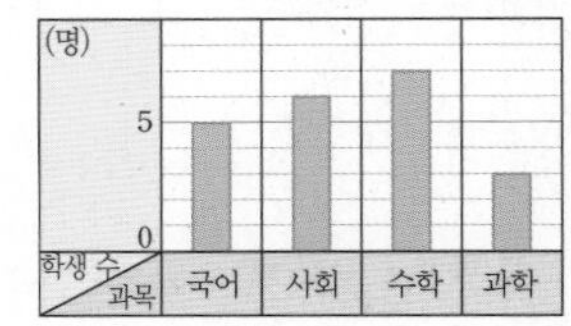

그렇다면 자료를 대표하는 값은 어떻게 정할 수 있을까요?
각 자료의 값을 모두 더하여 자료의 수로 나눈 값을 그 자료를 대표하는 값으로 정할 수 있습니다. 이 값을 **평균**이라고 합니다.

(평균)=(자료 값의 합)÷(자료의 수)

■÷▲는 분수 $\frac{■}{▲}$로 나타내어 계산할 수 있음을 [수학 6-1]에서 자세히 배웁니다.

평균은 주어진 자료 전체를 더한 값을 자료의 수로 나누거나 평균을 예상하고 자료의 값을 고르게 하여 다음과 같이 구할 수 있습니다.

민주의 과목별 시험 성적

과목	국어	영어	수학	과학
점수(점)	90	88	92	90

[방법 1] (자료 값의 합)÷(자료의 수)로 평균 구하기

$$(\text{평균})=\frac{90+88+92+90}{4}=\frac{360}{4}=90(\text{점})$$

[방법 2] 자료의 값을 고르게 하여 평균 구하기

평균을 90점으로 예상한 후 (90, 90), (92, 88)로 수를 옮기고 짝지어
수학 92점에서 2점을 영어 88점에 나누어 주어
자료의 값을 고르게 하여 구한 성적의 평균은 90점입니다.

일정한 기준을 정하여 기준보다 많은 것을 부족한 쪽으로 채우면서 고르게 맞추어 평균을 구할 수 있습니다.

여기서 평균은 어떤 상황에서 나타나는지 알아봅시다. □ 안에 알맞은 수를 써넣으시오.

영미네 모둠 5명의 공 던지기 기록이 25 m, 23 m, 28 m, 30 m, 24 m입니다.
5명의 공 던지기 기록은 평균 몇 m일까요?

$\frac{25+23+28+30+24}{5}=\frac{130}{5}=26$이므로 5명의 공 던지기 기록은 평균 □ m입니다.

답 26

풍산자 비법

(평균)=(자료 값의 합)÷(자료의 수)

따라 푸는 서술형

01 민수의 턱걸이 기록을 나타낸 표입니다. 민수의 턱걸이 기록의 평균을 구하시오.

민수의 턱걸이 기록

회(회)	1	2	3	4
턱걸이 기록(번)	10	12	14	12

| 해결 과정 |

(평균)$=\frac{10+12+14+12}{4}=\frac{48}{4}=$□(번)

따라서 민수의 턱걸이 기록의 평균은 □번입니다.

02 영미의 줄넘기 기록을 나타낸 표입니다. 영미의 줄넘기 기록의 평균을 구하시오.

영미의 줄넘기 기록

회(회)	1	2	3	4
줄넘기 기록(번)	30	40	40	50

| 해결 과정 |

03 슬기네 모둠 영어 시험 점수를 나타낸 표입니다. 슬기네 모둠에서 영어 시험 점수가 평균보다 높은 친구는 누구인지 모두 쓰시오.

슬기네 모둠 영어 시험 점수

이름	슬기	보람	남길	우성	준기
점수(점)	85	95	63	71	86

| 해결 과정 |

(평균)$=\frac{85+95+63+71+86}{5}=80$(점)

따라서 슬기네 모둠에서 영어 시험 점수가 평균보다 높은 친구는 □입니다.

04 민주네 모둠 친구들의 키를 나타낸 표입니다. 민주네 모둠에서 키가 평균보다 작은 친구는 누구인지 모두 쓰시오.

민주네 모둠 키

이름	현주	민주	혁준	보영	정무
키(cm)	152.5	163.7	165	145.5	153.3

| 해결 과정 |

05 이번 달 4일까지의 강수량을 나타낸 표입니다. 5일까지의 강수량의 평균이 4일까지의 강수량의 평균보다 높으려면 5일에 비가 몇 mm보다 많이 내려야 하는지 구하시오.

날짜별 강수량

날짜(일)	1	2	3	4
강수량(mm)	65	120	15	40

| 해결 과정 |

(평균)$=\frac{65+120+15+40}{4}=60$(mm)

따라서 5일까지의 강수량의 평균이 4일까지의 강수량의 평균보다 높으려면 5일에 비가 □mm보다 많이 내려야 합니다.

06 지학 서점의 책 판매량을 조사한 표입니다. 5월까지 판매량의 평균이 4월까지 판매량의 평균보다 많으려면 5월에 책을 몇 권보다 많이 팔아야 하는지 구하시오.

월별 책 판매량

월(월)	1	2	3	4
판매량(권)	495	670	720	715

| 해결 과정 |

따라 푸는 문장제 서술형

07 평균에 대해 잘못 설명한 사람은 누구인지 쓰시오.

> 은수: 평균은 자료의 값 중 가장 작은 수야.
> 세정: 평균은 자료를 대표하는 값이야.

| 문제 이해 |

평균 ⇨ (자료 값의 합)÷(자료의 수)

| 해결 과정 |

(평균)=(자료 값의 합)÷(자료의 수)이며 자료의 값 중에서 가장 작은 수가 아닐 수도 있습니다. 또한 평균은 자료를 대표하는 값입니다.
따라서 평균에 대해 잘못 설명한 사람은 ☐입니다.

08 평균에 대해 잘못 설명한 사람은 누구인지 쓰시오.

> 현아: 자료의 값을 고르게 하면 평균을 구할 수 있어.
> 보경: 평균은 자료의 값 중 가장 많이 나오는 수야.

| 문제 이해 |

평균 ⇨ ________________

| 해결 과정 |

09 다섯 종류의 음료수 중에서 판매량이 평균보다 높은 음료수는 더 많이 생산하기로 했습니다. 더 많이 생산해야 하는 음료수는 모두 몇 종류인지 쓰시오.

음료수 판매량

종류	가	나	다	라	마
판매량(병)	170	155	127	210	183

| 문제 이해 |

음료수 판매량의 평균

⇨ $\frac{170+155+127+210+183}{5}$

| 해결 과정 |

음료수 판매량의 평균은

$\frac{170+155+127+210+183}{5}=169$(병)입니다.

따라서 더 많이 생산해야 하는 음료수는 가, 라, 마로 모두 ☐종류입니다.

10 다섯 종류의 음식 중에서 판매량이 평균보다 높은 음식은 재료 준비를 더 많이 하기로 했습니다. 재료 준비를 더 많이 해야 하는 음식은 모두 몇 종류인지 쓰시오.

음식 판매량

음식	가	나	다	라	마
판매량(그릇)	30	18	56	34	27

| 문제 이해 |

음식 판매량의 평균 ⇨ ________________

| 해결 과정 |

스스로 푸는 서술형

11 서진이네 학교 5학년 학급별 학생 수를 나타낸 표입니다. 한 학급당 몇 명의 학생이 있다고 말할 수 있는지 구하시오.

서진이네 학교 5학년 학급별 학생 수

학급(반)	1	2	3	4	5
학생 수(명)	27	32	25	28	23

| 해결 과정 |

답

12 민주와 지민이가 읽은 독서량을 나타낸 표입니다. 민주와 지민이의 독서량의 평균을 구해보고 둘 중 누가 책을 더 많이 읽었다고 볼 수 있는지 쓰시오.

민주의 독서량

월(월)	3	4	5	6
책 수(권)	12	10	8	6

지민이의 독서량

월(월)	3	4	5	6
책 수(권)	6	7	10	9

| 해결 과정 |

답

13 미나네 학교 방과 후 수업 중 학생 수가 평균보다 적은 수업은 다음 학기에 개설하지 않기로 했습니다. 어떤 수업을 개설하지 않을지 구하시오.

미나네 학교 방과후 수업 학생 수

수업	볼링	오카리나	제빵	발레
학생 수(명)	24	23	18	15

| 해결 과정 |

답

14 정은이가 5일 동안 넘은 줄넘기 횟수의 평균이 4일 동안 넘은 줄넘기 횟수의 평균보다 높다고 합니다. 줄넘기 횟수가 첫째 날에는 30번, 둘째 날에는 34번, 셋째 날에는 42번, 넷째 날에는 38번이라면, 다섯째 날 줄넘기 횟수는 적어도 몇 번인지 구하시오.

| 해결 과정 |

답

19 평균 이용하기

우리는 앞 단원에서 평균 구하는 방법을 알아보았습니다. 평균은 주어진 자료 전체를 더한 값을 자료의 수로 나누거나 평균을 예상하고 자료의 값을 고르게 하여 구할 수 있었습니다.

그렇다면 다양한 문제를 해결할 때 평균을 어떻게 이용할까요?
평균을 이용하면 두 집단 사이의 통계적 사실을 한눈에 알기 쉽게 비교할 수 있습니다.

월별 도서관 이용자 수

월(월)	3	4	5	6	7
남학생(명)	75	70	47	64	79
여학생(명)	87	74	46	55	68

• 남학생의 월별 평균 도서관 이용자 수: $\frac{75+70+47+64+79}{5}=\frac{335}{5}=67$(명)

• 여학생의 월별 평균 도서관 이용자 수: $\frac{87+74+46+55+68}{5}=\frac{330}{5}=66$(명)

따라서 월별 평균 도서관 이용자 수는 남학생이 1명 더 많습니다.

자료의 수가 다른 두 집단을 비교할 때에는 평균을 비교해야 공평합니다.

또한, 평균을 이용하면 모르는 자료 값을 구할 수 있습니다.

민주의 윗몸일으키기 평균 기록이 24번일 때, 3회에 몇 번 했는지 알아봅시다.

민주의 윗몸일으키기 기록

회(회)	1	2	3	4
기록(번)	20	31		28

⇨ 민주는 4회 동안 윗몸일으키기를 $24\times4=96$(번) 했습니다.
따라서 민주는 3회에 윗몸일으키기를 $96-(20+31+28)=96-79=17$(번) 했습니다.

(평균)=(자료 값의 합)÷(자료의 수)에서 (자료 값의 합)=(평균)×(자료의 수)이므로 평균을 이용하여 자료 값의 합을 구한 후, 자료 값의 합에서 모르는 자료 값을 제외한 나머지 자료 값을 빼어 모르는 자료 값을 구합니다.

여기서 평균을 이용하여 문제를 해결하는 것은 어떤 상황에서 나타나는지 알아봅시다. □ 안에 알맞은 수를 써넣으시오.

민서네 초등학교의 학년별 평균 학생 수는 120명입니다. 민서네 초등학교 전체 학생 수는 몇 명일까요?

1학년부터 6학년까지 모두 6개 학년이 있습니다. 민서네 초등학교의 전체 학생 수는 평균 학생 수와 학년의 수의 곱과 같으므로 $120\times6=$ □(명)입니다.

답 720

풍산자 비법

(평균)=(자료 값의 합)÷(자료의 수) ⇨ (자료 값의 합)=(평균)×(자료의 수)

따라 푸는 서술형

01 12, 7, □, 8의 평균이 9일 때, □를 구하시오.

| 해결 과정 |

네 수의 평균이 9이므로 네 수의 합은 9×4=36입니다.
따라서 12+7+□+8=36이므로
□=36−(12+7+8)=[　　]입니다.

02 14, 17, 21, □의 평균이 16일 때, □를 구하시오.

| 해결 과정 |

03 도란이네 모둠과 미란이네 모둠 학생들의 몸무게를 나타낸 표입니다. 평균 몸무게가 더 가벼운 모둠을 쓰시오.

도란이네 모둠

이름	몸무게(kg)
도란	49
기석	62
혜진	57

미란이네 모둠

이름	몸무게(kg)
미란	45
일성	53
보람	56
혜나	38

| 해결 과정 |

도란이네 모둠의 평균 몸무게는
(49+62+57)÷3=56(kg)
미란이네 모둠의 평균 몸무게는
(45+53+56+38)÷4=48(kg)
따라서 평균 몸무게가 더 가벼운 모둠은 [　　] 모둠입니다.

04 서진이네 가족과 영미네 가족의 하루 동안의 걸음 수를 나타낸 표입니다. 평균 걸음 수가 더 많은 가족을 쓰시오.

서진이네 가족

이름	걸음 수(걸음)
아빠	2350
엄마	2510
서진	3240

영미네 가족

이름	걸음 수(걸음)
아빠	2300
엄마	1880
오빠	4000
영미	2800

| 해결 과정 |

05 민주의 50 m 달리기 기록의 평균이 11.5초일 때, 3회의 달리기 기록을 구하시오.

민주의 50 m 달리기 기록

회(회)	1	2	3	4	5
기록(초)	9	10.5		12	11.5

| 해결 과정 |

민주의 50 m 달리기 기록의 평균이 11.5초이므로 다섯 번의 기록의 총합은 11.5×5=57.5(초)입니다.
따라서 3회의 달리기 기록은
57.5−(9+10.5+12+11.5)=[　　](초)입니다.

06 소연이의 줄넘기 기록의 평균이 15번일 때, 5회의 줄넘기 기록을 구하시오.

소연이의 줄넘기 기록

회(회)	1	2	3	4	5
줄넘기 기록(번)	7	16	24	9	

| 해결 과정 |

따라 푸는 문장제 서술형

07 민아네 반에서 발표왕 모둠을 정하려고 합니다. 발표왕 모둠은 어느 모둠인지 구하시오.

모둠 친구 수와 발표 횟수

	모둠 1	모둠 2	모둠 3
모둠 친구 수(명)	4	5	4
발표 횟수(번)	48	65	40

| 문제 이해 |

자료의 수가 다른 두 집단의 비교 ⇨ 평균을 이용한다.

| 해결 과정 |

(모둠 1의 평균 발표 횟수)$=48\div4=12$(번)
(모둠 2의 평균 발표 횟수)$=65\div5=13$(번)
(모둠 3의 평균 발표 횟수)$=40\div4=10$(번)
따라서 발표왕 모둠은 평균 발표 횟수가 가장 많은 [　　]입니다.

08 혜성이네 반에서 칭찬왕 모둠을 정하려고 합니다. 칭찬왕 모둠은 어느 모둠인지 구하시오.

모둠 친구 수와 칭찬 딱지 개수

	모둠 1	모둠 2	모둠 3
모둠 친구 수(명)	6	4	5
칭찬 딱지(개)	78	56	75

| 문제 이해 |

자료의 수가 다른 두 집단의 비교 ⇨ ____________

| 해결 과정 |

09 효진이는 어제까지 4일 동안 하루 평균 30분 운동을 했습니다. 오늘 운동을 하여 5일 동안 하루 평균 35분 운동을 했다면 효진이는 오늘 운동을 몇 분 했는지 구하시오.

| 문제 이해 |

자료 값의 합 ⇨ (평균)×(자료의 수)

| 해결 과정 |

(어제까지 4일 동안 운동 시간의 합)$=30\times4=120$(분)
(오늘까지 5일 동안 운동 시간의 합)$=35\times5=175$(분)
따라서 효진이는 오늘 운동을 $175-120=$[　　](분) 했습니다.

10 체육시간에 두 번째 기록까지 대훈이의 멀리뛰기 평균 기록이 86 cm이었습니다. 세 번째 기록까지 90 cm의 평균 기록을 냈다면 세 번째에서 몇 cm를 뛰었는지 구하시오.

| 문제 이해 |

자료 값의 합 ⇨ ____________

| 해결 과정 |

스스로 푸는 서술형

11 풍산 문구점과 지학 문구점의 연필 판매 수를 나타낸 표입니다. 두 문구점에서 판매한 연필 수의 평균이 같을 때 지학 문구점에서 3일에 판매한 연필은 몇 자루인지 구하시오.

풍산 문구점의 연필 판매 수

날짜(일)	1	2	3	4
연필 판매 수(자루)	5	12	8	23

지학 문구점의 연필 판매 수

날짜(일)	1	2	3	4	5
연필 판매 수(자루)	9	5		10	17

| 해결 과정 |

답

12 제빵대회 남자 참가자와 여자 참가자의 제빵 경력을 각각 나타낸 표입니다. 제빵대회 전체 참가자의 평균 경력을 구하시오.

제빵대회 참가자의 제빵 경력

	참가자 수(명)	경력(년)
남자	15	24
여자	10	26.5

| 해결 과정 |

답

13 정무의 1분 동안의 계단 오르기 기록을 나타낸 표입니다. 1회부터 3회까지의 평균은 85개이고 1회부터 4회까지의 평균은 88개일 때, 정무의 가장 높은 기록과 가장 낮은 기록의 차를 구하시오.

정무의 계단 오르기 기록

회(회)	1	2	3	4
기록(개)	85	90		

| 해결 과정 |

답

14 가희의 성적표입니다. 국어 성적이 수학 성적보다 10점 낮다고 할 때, 국어 성적과 수학 성적을 구하시오.

가희의 성적표

과목	국어	영어	수학	사회	과학	평균
점수(점)		78		90	87	89

| 해결 과정 |

20 일이 일어날 가능성

우리는 **[수학 4-2]**에서 꺾은선그래프를 알아보았습니다. 꺾은선그래프는 조사하지 않은 중간 값을 예상할 수 있었습니다.

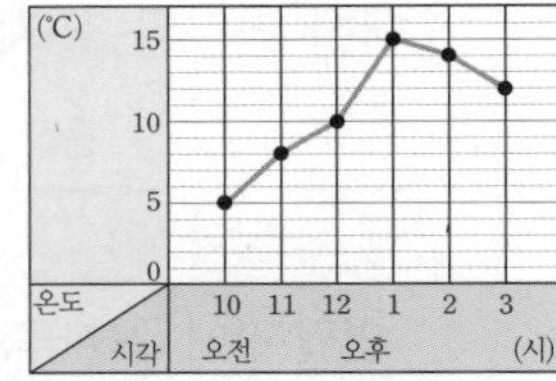

꺾은선그래프를 통해 오후 2시 30분의 운동장의 온도를 13 ℃로 예상할 수 있습니다.

그렇다면 일이 일어날 가능성을 어떻게 표현할까요?

내일 아침에 동쪽에서 해가 뜰 가능성은 확실합니다. 이처럼 **가능성**은 어떠한 상황에서 특정한 일이 일어나길 기대할 수 있는 정도를 말합니다. 가능성의 정도는 **불가능하다, ~아닐 것 같다, 반반이다, ~일 것 같다, 확실하다** 등으로 표현할 수 있습니다.

일이 일어날 가능성이 낮습니다. ⇐ 불가능하다 | ~아닐 것 같다 | 반반이다 | ~일 것 같다 | 확실하다 ⇒ 일이 일어날 가능성이 높습니다.

- 불가능하다 ⇨ 주사위를 굴리면 주사위 눈의 수가 7이 나올 것이다.
- ~아닐 것 같다 ⇨ 주사위를 세 번 굴리면 주사위의 눈의 수가 모두 6이 나올 것이다.
- 반반이다 ⇨ 주사위를 굴리면 주사위 눈의 수가 짝수가 나올 것이다.
- ~일 것 같다 ⇨ 주사위를 굴리면 주사위 눈의 수가 1 이상 5 이하로 나올 것이다.
- 확실하다 ⇨ 주사위를 굴리면 주사위 눈의 수가 6 이하로 나올 것이다.

이때 일이 일어날 가능성을 '확실하다'는 1로, '반반이다'는 $\frac{1}{2}$로, '불가능하다'는 0으로 표현할 수 있습니다.

반드시 일어나는 일의 가능성은 1이고 절대 일어나지 않는 일의 가능성은 0입니다.

- 주사위를 굴리면 주사위 눈의 수가 6 이하로 나올 가능성 ⇨ 1
- 주사위를 굴리면 주사위 눈의 수가 짝수가 나올 가능성 ⇨ $\frac{1}{2}$
- 주사위를 굴리면 주사위 눈의 수가 7이 나올 가능성 ⇨ 0

여기서 일이 일어날 가능성이 0인 경우와 1인 경우를 알아봅시다. □ 안에 알맞은 수를 써넣으시오.

주머니에 빨간색 공이 5개 있습니다. 주머니에서 공을 1개 꺼낼 때 꺼낸 공이 파란색일 가능성과 빨간색일 가능성은 어떤 수로 표현할 수 있을까요?

주머니에서 꺼낸 공이 파란색일 가능성은 '불가능하다'이므로 수로 표현하면 □이고, 빨간색일 가능성은 '확실하다'이므로 수로 표현하면 □입니다.

답 0, 1

풍산자 비법

일이 일어날 가능성 ⇨ 어떠한 상황에서 특정한 일이 일어나길 기대할 수 있는 정도

따라 푸는 서술형

01 내년에는 크리스마스가 12월 22일이 될 가능성을 말로 표현하시오.

| 해결 과정 |

크리스마스는 12월 25일로 지정되어 있습니다.
따라서 내년에는 크리스마스가 12월 22일이 될 가능성을 말로 표현하면 '[　　　　]'입니다.

02 올해 7월보다 내년 7월에 비가 더 많이 올 가능성을 말로 표현하시오.

| 해결 과정 |

03 2부터 17까지의 수가 각각 적힌 수 카드 중에서 한 장을 뽑았을 때 2의 배수가 나올 가능성을 수로 표현하시오.

| 해결 과정 |

2부터 17까지의 수가 각각 적힌 수 카드는 모두 16장입니다. 이 중 2의 배수는 8장입니다.
따라서 수 카드 중에서 한 장을 뽑았을 때 2의 배수가 나올 가능성은 반반이므로 수로 표현하면 [　　]입니다.

04 미진이는 놀이공원에서 5가지 놀이기구를 탈 수 있는 빅5 이용권을 샀습니다. 전체 놀이기구 수가 10개일 때 미진이가 10개의 놀이기구를 모두 타는 가능성을 수로 표현하시오.

| 해결 과정 |

05 주머니 속에 빨간색 구슬 2개가 들어있습니다. 주머니에서 구슬 1개를 꺼낼 때 가능성이 더 높은 것의 기호를 쓰시오.

> ㉠ 꺼낸 구슬이 빨간색일 가능성
> ㉡ 꺼낸 구슬이 노란색일 가능성

| 해결 과정 |

㉠ 꺼낸 구슬이 빨간색일 가능성은 1
㉡ 꺼낸 구슬이 노란색일 가능성은 0
따라서 가능성이 더 높은 것은 [　　]입니다.

06 주머니 속에 빨간색 구슬 2개와 노란색 구슬 2개가 있습니다. 주머니에서 구슬 1개를 꺼낼 때 가능성이 더 높은 것의 기호를 쓰시오.

> ㉠ 꺼낸 구슬이 빨간색일 가능성
> ㉡ 꺼낸 구슬이 빨간색 또는 노란색일 가능성

| 해결 과정 |

따라 푸는 문장제 서술형

07 동화책, 위인전, 문제집, 시집을 판매하는 서점에서 영미가 동화책 또는 위인전을 구입할 가능성을 말로 표현하시오.

| 문제 이해 |

가능성 ⇨ 어떠한 상황에서 특정한 일이 일어나길 기대할 수 있는 정도

| 해결 과정 |

동화책, 위인전은 4종류의 책 중 2종류이므로 동화책 또는 위인전을 구입할 가능성을 말로 표현하면 '☐'입니다.

08 민주는 반 친구들이 좋아하는 계절을 조사하려고 합니다. 한 친구가 좋아하는 계절이 봄 또는 여름 또는 가을일 가능성을 말로 표현하시오.

| 문제 이해 |

가능성 ⇨ ________________

| 해결 과정 |

09 혜리네 모둠 6명 중 3명이 안경을 썼습니다. 혜리네 모둠에서 당번을 한 명 정할 때, 당번이 안경을 쓰지 않을 가능성을 수로 표현하시오.

| 문제 이해 |

안경을 쓰지 않은 학생 수 ⇨ 3명

| 해결 과정 |

모둠 학생 6명 중에서 안경을 쓰지 않은 학생 수는 3명입니다.

따라서 당번이 안경을 쓰지 않을 가능성은 ☐입니다.

10 상자 안에 오이 1개, 호박 2개, 가지 1개가 들어있습니다. 상자 안에서 채소 한 개를 꺼낼 때 호박이 나오지 않을 가능성을 수로 표현하시오.

| 문제 이해 |

호박이 아닌 채소의 개수 ⇨ ________________

| 해결 과정 |

11 일이 일어날 가능성이 0인 경우를 찾아 기호를 쓰시오.

㉠ 짝꿍을 바꿨을 때 여학생과 짝이 될 가능성
㉡ 여름에 눈이 올 가능성

| 문제 이해 |

가능성이 0 ⇨ 불가능하다.

| 해결 과정 |

짝꿍을 바꿨을 때 여학생과 짝이 될 가능성은 반반이므로 수로 나타내면 $\frac{1}{2}$입니다. 여름에 눈이 오는 것은 불가능하므로 수로 나타내면 0입니다.
따라서 일이 일어날 가능성이 0인 경우는 ☐입니다.

12 일이 일어날 가능성이 1인 경우를 찾아 기호를 쓰시오.

㉠ 5명의 학생이 있을 때 혈액형이 같은 학생이 있을 가능성
㉡ 100점 만점인 시험에서 120점을 맞을 가능성

| 문제 이해 |

가능성이 1 ⇨ ________________

| 해결 과정 |

스스로 푸는 서술형

13 주사위를 굴렸을 때 주사위 눈의 수가 9의 배수일 가능성과 회전판을 돌릴 때 화살이 빨간색에 멈출 가능성이 같도록 회전판을 색칠하려고 합니다. 회전판에 빨간 색 칸은 얼마나 칠해야 하는지 쓰시오.

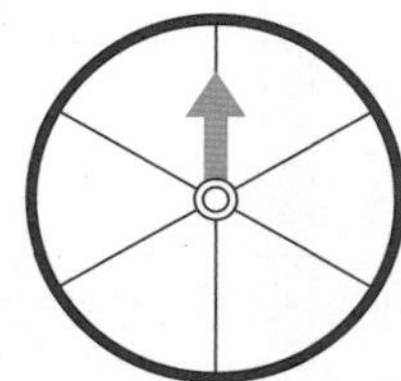

| 해결 과정 |

답

14 가능성이 다른 것을 찾아 기호를 쓰시오.

㉠ 노란 공 3개가 들어 있는 주머니에서 파란 공을 뽑을 가능성
㉡ 빨간 공 1개와 파란 공 1개가 들어 있는 주머니에서 파란 공을 뽑을 가능성
㉢ 빨간 공 1개, 파란 공 1개, 노란 공 2개가 들어 있는 주머니에서 노란 공을 뽑을 가능성
㉣ 동전을 던져 숫자 면이 나올 가능성

| 해결 과정 |

답

15 일이 일어날 가능성에 대해 잘못 말한 친구를 찾아 바르게 고치시오.

민주: 주사위를 던졌을 때 홀수의 눈이 나올 가능성은 반반이야.
지민: 13명이 있을 때 서로 같은 달에 생일이 있는 사람이 있을 가능성은 반반이야.

| 해결 과정 |

답

16 상자 속에 4개의 구슬이 있습니다. 상자에서 구슬을 1개 꺼낼 때 파란 구슬을 꺼낼 가능성을 수로 나타내면 $\frac{1}{2}$입니다. 상자 속에 파란 구슬이 아닌 구슬은 모두 몇 개 있는지 구하시오.

| 해결 과정 |

답

단계별로, 문제해결 능력을 키우자!

지금까지 우리는 평균과 가능성을 배웠습니다.

힘들었을 텐데, 잘 풀었어요!

자, 그럼 마지막으로 지금까지 배운 평균과 가능성을 모두 이용해서
우리 함께 서술형 문제를 해결해 볼까요?
단계별로 문제를 해결하다 보면 어려운 서술형도 쉬워질 거예요.

모둠별 100 m 달리기 평균 기록을 조사하여 나타낸 표입니다. 세 모둠 전체 학생들의 100 m 달리기 평균 기록은 몇 초인지 구하시오.

모둠별 학생 수와 100 m 달리기 평균 기록

모둠	가	나	다
학생 수(명)	4	5	6
평균 기록(초)	17	14	15

실타래 찾기 (전체 학생 수)=(세 모둠 학생 수의 합)입니다.

실타래 풀기

단계 1 : 세 모둠 전체 학생들의 기록의 합을 구합니다.

단계 2 : 세 모둠의 전체 학생 수를 구합니다.

단계 3 : 세 모둠 전체 학생들의 100 m 달리기 평균 기록을 구합니다.

나만의 해설 쓰기 :

정답 :

풍산자 라인업

초등 풍산자로 개념을 적용하고 응용하여 연산, 유형, 서술형을 풀면 실력이 탄탄해집니다

처음 배우는 수학을 쉽게 접근하는 초등 풍산자 로드맵

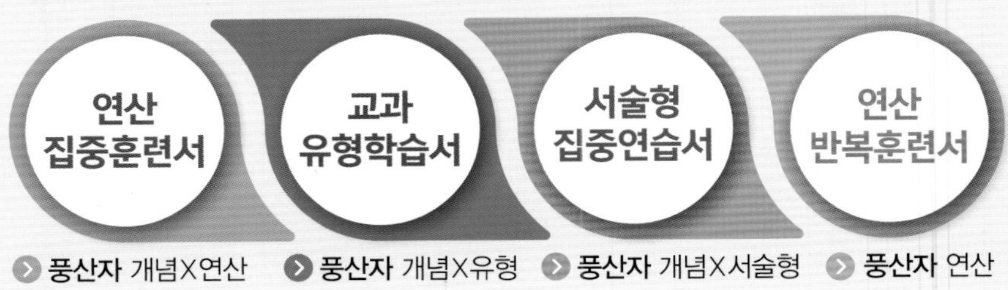

풍산자 개념X연산 / 풍산자 개념X유형 / 풍산자 개념X서술형 / 풍산자 연산

초등 풍산자 교재	하	중하	중	상
연산 집중훈련서 **풍산자 개념X연산**	개념 적용 연산 학습, 기초 실력 완성			
교과 유형학습서 **풍산자 개념X유형**		개념 응용 유형 학습, 기본 실력 완성		
서술형 집중연습서 **풍산자 개념X서술형**		개념 활용 서술형 연습, 문제 해결력 완성		
출시 예정 연산 반복훈련서 **풍산자 연산**	연산만 집중적으로 반복 학습			

풍산자

개념 × 서술형

정답과 풀이

초등 **수학**

5-2

지학사

교과서 속 **서술형**을 빠르게!

풍산자

개념 × 서술형

정답과 풀이

초등 **수학 5-2**

1 ::: 수의 범위와 어림하기

01 이상과 이하, 초과와 미만

p. 07~09

> 따라 푸는 서술형

01 3	**02** 3개	**03** ㉠, ㉡
04 ㉡, ㉢, ㉣	**05** 35	**06** 60

> 따라 푸는 문장제 서술형

07 나, 라	**08** 유나, 은후	**09** 영미
10 민주	**11** 5000	**12** 3500원

> 스스로 푸는 서술형

13 ㉢	**14** 부산, 여수	**15** 4개
16 42		

02 답 3개

35 이하인 수는 35보다 작거나 같은 수이므로 32, 35, 22의 3개입니다.

04 답 ㉡, ㉢, ㉣

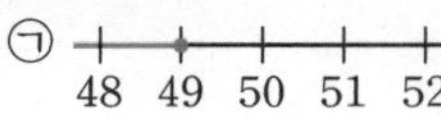

㉡ 48 49 50 51 52

㉢ 48 49 50 51 52

㉣ 48 49 50 51 52

따라서 50이 포함되는 수의 범위는 ㉡, ㉢, ㉣입니다.

06 답 60

9 초과 14 이하인 자연수는 10, 11, 12, 13, 14이므로 합은 10+11+12+13+14=60입니다.

08 답 유나, 은후

| 문제 이해 |

12 이하 ⇨ 12보다 작거나 같은 수

| 해결 과정 |

12 이하인 수는 12보다 작거나 같은 수이므로 대표로 뽑히는 학생은 유나, 은후입니다.

10 답 민주

| 문제 이해 |

68 미만 ⇨ 68보다 작은 수

| 해결 과정 |

68 미만인 수는 68보다 작은 수인데, 민주가 쓴 수 중에서 68은 68보다 작은 수가 아니므로 잘못 쓴 학생은 민주입니다.

12 답 3500원

| 문제 이해 |

택배의 무게 ⇨ 1.5+0.6

| 해결 과정 |

택배의 무게는 1.5+0.6=2.1(kg)입니다. 2.1 kg은 2 kg 초과 3 kg 이하에 속하므로 택배 요금은 3500원입니다.

13 답 ㉢

㉠ 29.1 이상 35.4 이하인 자연수는 30, 31, 32, 33, 34, 35의 6개입니다.

㉡ 23.4 초과 28.9 미만인 자연수는 24, 25, 26, 27, 28의 5개입니다.

㉢ 38.8 이상 45.3 미만인 자연수는 39, 40, 41, 42, 43, 44, 45의 7개입니다.

따라서 가장 많은 자연수를 포함하는 범위는 ㉢입니다.

14 답 부산, 여수

30 초과 34 미만인 수는 30보다 크고 34보다 작은 수이므로 기온이 30 ℃ 초과 34 ℃ 미만인 도시는 부산, 여수입니다.

15 답 4개

3 이상 5 미만인 수는 3, 4이므로 십의 자리에 올 수 있는 수는 3, 4입니다.

6 초과 8 이하인 수는 7, 8이므로 일의 자리에 올 수 있는 수는 7, 8입니다.

따라서 조건을 만족하는 두 자리 수는 37, 38, 47, 48로 모두 4개입니다.

16 답 42

수직선에 나타낸 수의 범위는 36 초과 ㉠ 미만인 수이므로 범위에 속하는 자연수는 36보다 크고 ㉠보다 작은 수입니다. 36보다 큰 5개의 자연수는 37, 38, 39, 40, 41이므로 ㉠에 알맞은 자연수는 42입니다.

02 올림, 버림, 반올림

p. 11~13

> 따라 푸는 서술형

01 지민 **02** 민서 **03** ㉢
04 ㉣ **05** ㉡ **06** ㉣

> 따라 푸는 문장제 서술형

07 500 **08** 130권 **09** 24
10 6000원 **11** 620000 **12** 13 kg

> 스스로 푸는 서술형

13 10개 **14** 4500 이상 5499 이하
15 0, 1, 2, 3, 4 **16** 18000원

02 답 민서

소수 첫째 자리 아래 수를 올려서 나타냅니다.
1.456 ⇨ 1.5, 2.093 ⇨ 2.1, 3.549 ⇨ 3.6
따라서 잘못 나타낸 학생은 민서입니다.

04 답 ㉣

65.83을 버림하여 십의 자리까지 나타내면 60
65.83을 버림하여 일의 자리까지 나타내면 65
65.83을 버림하여 소수 첫째 자리까지 나타내면 65.8
따라서 65.83을 버림하여 나타낼 수 있는 수가 아닌 것은 ㉣입니다.

06 답 ㉣

반올림하여 소수 첫째 자리까지 나타내려면 소수 둘째 자리에서 반올림합니다.
㉠ 2.24 ⇨ 2.2 ㉡ 2.15 ⇨ 2.2
㉢ 2.09 ⇨ 2.1 ㉣ 2.31 ⇨ 2.3
따라서 반올림하여 소수 첫째 자리까지 나타낸 수가 가장 큰 것은 ㉣입니다.

08 답 130권

| 문제 이해 |
10권 묶음으로 판매
⇨ 올림하여 십의 자리까지 나타내기
| 해결 과정 |
공책을 10권 묶음으로 살 수 있으므로 사려고 하는 공책 수를 올림하여 십의 자리까지 나타내면
125 ⇨ 130
따라서 공책을 최소 130권 사야 합니다.

10 답 6000원

| 문제 이해 |
1000원짜리 지폐로 바꾼다
⇨ 버림하여 천의 자리까지 나타내기
| 해결 과정 |
10원짜리 동전 612개는 6120원입니다.
6120원을 버림하여 천의 자리까지 나타내면
6120 ⇨ 6000
따라서 1000원짜리 지폐로 바꾼다면 6000원까지 바꿀 수 있습니다.

12 답 13 kg

| 문제 이해 |
소수 첫째 자리에서 반올림
⇨ 일의 자리까지 나타낸다.
| 해결 과정 |
12.5 ⇨ 13
따라서 세탁기의 무게를 소수 첫째 자리에서 반올림하면 13 kg입니다.

13 답 10개

버림하여 십의 자리까지 나타내려면 일의 자리에서 버림합니다. 따라서 처음의 수가 될 수 있는 자연수는 250, 251, 252, 253, 254, 255, 256, 257, 258, 259의 10개입니다.

14 답 4500 이상 5499 이하

백의 자리에서 반올림하여 5000이 되는 가장 작은 자연수는 4500이고 가장 큰 자연수는 5499이므로 4500 이상 5499 이하인 수입니다.

15 답 0, 1, 2, 3, 4

3□29를 버림하여 천의 자리까지 나타낸 수는 3000입니다.
백의 자리에서 반올림한 수가 3000이려면 백의 자리 수가 5보다 작아야 합니다.
따라서 □ 안에 들어갈 수 있는 수는 0, 1, 2, 3, 4입니다.

16 답 18000원

스케치북을 학생 54명에게 한 권씩 나누어 주려면 스케치북은 모두 54권이 필요합니다. 스케치북을 10권 묶음으로 살 수 있으므로 사려고 하는 스케치북의 수를 올림하여 십의 자리까지 나타내면 54 ⇨ 60
따라서 스케치북을 최소 60권 사야 하고 필요한 돈은 $3000 \times 6 = 18000$(원)입니다.

p. 14

단계별로, 문제해결 능력을 키우자!

주어진 4장의 수 카드를 한 번씩 모두 사용하여 만들 수 있는 네 자리 수 중에서 3500 이상 4500 미만인 수를 경우를 나누어 찾습니다.

- 천의 자리 수가 3인 경우 백의 자리 수는 8이 될 수 있으므로 3814, 3841의 2개입니다.
- 천의 자리 수가 4인 경우 백의 자리 수는 1, 3이 될 수 있으므로 4138, 4183, 4318, 4381의 4개입니다.

따라서 수 카드를 모두 사용하여 만들 수 있는 수 중에서 반올림하여 천의 자리까지 나타내면 4000이 되는 수는 모두 $2+4=6$(개)입니다.

답 6개

2 ::: 분수의 곱셈

03 (분수)×(자연수)

p. 17~19

> 따라 푸는 서술형

01 <	**02** <	**03** 4
04 6	**05** $2\frac{6}{7}$, $2\frac{6}{7}$	**06** $9\frac{1}{2}$ cm

> 따라 푸는 문장제 서술형

07 $4\frac{1}{2}$	**08** 6판	**09** 34
10 46 g	**11** 13	**12** 7 km

> 스스로 푸는 서술형

13 ㉢	**14** 풀이 참조	**15** $7\frac{1}{3}$
16 오후 12시 10분		

02 답 <

$\frac{7}{10}\times6=\frac{7\times6}{10}=\frac{42}{10}=\frac{21}{5}=4\frac{1}{5}$

$1\frac{3}{4}\times3=\frac{7}{4}\times3=\frac{7\times3}{4}=\frac{21}{4}=5\frac{1}{4}$

따라서 ○ 안에 알맞은 것은 <입니다.

04 답 6

$3\frac{1}{3}\times2=\frac{10}{3}\times2=\frac{10\times2}{3}=\frac{20}{3}=6\frac{2}{3}$이므로

□ 안에 들어갈 수 있는 가장 큰 자연수는 6입니다.

06 답 $9\frac{1}{2}$ cm

$3\frac{1}{6}\times3=\frac{19}{6}\times3=\frac{57}{6}=\frac{19}{2}=9\frac{1}{2}$(cm)

따라서 주어진 정삼각형의 둘레는 $9\frac{1}{2}$ cm입니다.

08 답 6판

| 문제 이해 |

필요한 피자의 양 ⇨ (한 사람이 먹는 양)×(사람 수)

| 해결 과정 |

$\frac{3}{7}\times14=\frac{3\times14}{7}=6$

따라서 피자는 모두 6판 필요합니다.

10 답 46 g

| 문제 이해 |

추의 무게의 합 ⇨ (추 한 개의 무게)×(추의 수)

| 해결 과정 |

$5\frac{3}{4}\times8=\frac{23}{4}\times8=\frac{23\times8}{4}=46$

따라서 준희가 가지고 있는 추의 무게는 모두 46 g입니다.

12 답 7 km

| 문제 이해 |

두 시간 동안 간 거리 ⇨ (30분 동안 간 거리)×4

| 해결 과정 |

$1\frac{3}{4}\times4=\frac{7}{4}\times4=\frac{7\times4}{4}=7$

따라서 두 시간 동안 7 km를 갈 수 있습니다.

13 답 ㉢

㉠ $\frac{3}{4}\times6=\frac{3\times6}{4}=\frac{9}{2}=4\frac{1}{2}$

㉡ $\frac{5}{6}\times10=\frac{5\times10}{6}=\frac{25}{3}=8\frac{1}{3}$

㉢ $\frac{7}{9}\times18=\frac{7\times18}{9}=14$

따라서 계산 결과가 자연수인 것은 ㉢입니다.

14 답 풀이 참조

2와 $\frac{2}{9}$에 4를 각각 곱해야 하는데 $\frac{2}{9}$에만 4를 곱하여 잘못 계산하였습니다.

따라서 바르게 계산하면

$2\frac{2}{9}\times4=(2\times4)+\left(\frac{2}{9}\times4\right)=8+\frac{8}{9}=8\frac{8}{9}$입니다.

15 답 $7\frac{1}{3}$

어떤 수를 □라고 하면 $□\div2=1\frac{5}{6}$

$□=1\frac{5}{6}\times2=\frac{11}{6}\times2=\frac{11\times2}{6}=\frac{11}{3}=3\frac{2}{3}$

따라서 바르게 계산한 값은

$3\frac{2}{3}\times2=\frac{11}{3}\times2=\frac{11\times2}{3}=\frac{22}{3}=7\frac{1}{3}$입니다.

16 답 오후 12시 10분

하루에 $1\frac{1}{4}$분씩 빨라지므로 8일 후에 빨라지는 시간은

$1\frac{1}{4}\times8=\frac{5}{4}\times8=\frac{5\times8}{4}=10$(분)입니다.

따라서 8일 후 낮 12시에 이 시계는 오후 12시 10분을 가리킵니다.

04 (자연수)×(분수)

p. 21~23

> 따라 푸는 서술형

01 $1\frac{1}{2}$	**02** $11\frac{1}{2}$	**03** $4\frac{1}{2}$
04 38	**05** 2	**06** 5개

> 따라 푸는 문장제 서술형

07 18	**08** 40 kg	**09** 48
10 15명	**11** 33	**12** 8 km

> 스스로 푸는 서술형

13 ㉠, $8\frac{1}{2}$	**14** 52 L	**15** 45 cm
16 26		

02 답 $11\frac{1}{2}$

㉠ $12\times\frac{5}{8}=\frac{12\times5}{8}=\frac{15}{2}=7\frac{1}{2}$

㉡ $14\times\frac{2}{7}=\frac{14\times2}{7}=4$

따라서 ㉠+㉡$=7\frac{1}{2}+4=11\frac{1}{2}$입니다.

04 답 38

가장 큰 수는 12, 가장 작은 수는 $3\frac{1}{6}$이므로

가장 큰 수와 가장 작은 수의 곱은

$12\times3\frac{1}{6}=12\times\frac{19}{6}=\frac{12\times19}{6}=38$입니다.

06 답 5개

$6\times1\frac{4}{5}=6\times\frac{9}{5}=\frac{6\times9}{5}=\frac{54}{5}=10\frac{4}{5}$

$6\times2\frac{2}{3}=6\times\frac{8}{3}=\frac{6\times8}{3}=16$

따라서 $10\frac{4}{5}<□<16$이므로 □ 안에 들어갈 수 있는 자연수는 11, 12, 13, 14, 15의 5개입니다.

08 답 40 kg

| 문제 이해 |

재희의 몸무게 ⇨ (아버지의 몸무게)×$\frac{5}{8}$

| 해결 과정 |

$64\times\frac{5}{8}=\frac{64\times5}{8}=40$

따라서 재희의 몸무게는 40 kg입니다.

10 답 15명

| 문제 이해 |

여학생 ⇨ (반 전체 학생의 수)×$\left(1-\frac{3}{8}\right)$

| 해결 과정 |

여학생은 반 전체 학생의 $1-\frac{3}{8}=\frac{5}{8}$입니다.

$24\times\frac{5}{8}=\frac{24\times5}{8}=15$

따라서 지민이네 반 여학생은 15명입니다.

12 답 8 km

| 문제 이해 |

달린 거리 ⇨ (1시간 동안 달린 거리)×(달린 시간)

| 해결 과정 |

1시간 20분은 $1\frac{20}{60}=1\frac{1}{3}$시간입니다.

$6\times1\frac{1}{3}=6\times\frac{4}{3}=\frac{6\times4}{3}=8$

따라서 민주가 1시간 20분 동안 달린 거리는 8 km입니다.

13 답 ㉠, $8\frac{1}{2}$

㉠ $4\times2\frac{1}{8}=4\times\frac{17}{8}=\frac{4\times17}{8}=\frac{17}{2}=8\frac{1}{2}$

㉡ $8\times2\frac{3}{4}=8\times\frac{11}{4}=\frac{8\times11}{4}=22$

따라서 잘못 계산한 것은 ㉠이고, 바르게 계산한 값은 $8\frac{1}{2}$입니다.

14 답 52 L

$32\times1\frac{5}{8}=32\times\frac{13}{8}=\frac{32\times13}{8}=52$

따라서 오늘 판 주스는 52 L입니다.

15 답 45 cm

$75\times\frac{3}{5}=\frac{75\times3}{5}=45$

따라서 공이 튀어 올랐을 때의 높이는 45 cm입니다.

16 답 26

어떤 수는 $18\times\frac{5}{9}=\frac{18\times5}{9}=10$입니다.

따라서 어떤 수의 $2\frac{3}{5}$은

$10\times2\frac{3}{5}=10\times\frac{13}{5}=\frac{10\times13}{5}=26$입니다.

05 (진분수)×(진분수)

p. 25~27

> 따라 푸는 서술형

01 ㉡	02 ㉠	03 ㉠, ㉡, ㉣
04 ㉡, ㉢	05 >	06 =

> 따라 푸는 문장제 서술형

07 $\frac{1}{16}$	08 $\frac{1}{15}$ m²	09 $\frac{1}{2}$
10 $\frac{1}{2}$	11 $\frac{1}{5}$	12 $\frac{1}{9}$ L

> 스스로 푸는 서술형

13 $\frac{15}{32}$	14 4개	15 $\frac{11}{48}$
16 $\frac{1}{20}$		

02 답 ㉠

㉠ $\frac{7}{10}\times\frac{5}{8}=\frac{7\times5}{10\times8}=\frac{7}{16}$

㉡ $\frac{3}{4}\times\frac{5}{6}=\frac{3\times5}{4\times6}=\frac{5}{8}=\frac{10}{16}$

따라서 계산 결과가 더 작은 것은 ㉠입니다.

04 답 ㉡, ㉢

$\frac{3}{4}$에 1보다 큰 수를 곱하면 곱은 $\frac{3}{4}$보다 큽니다.

따라서 계산 결과가 $\frac{3}{4}$보다 큰 것은 ㉡, ㉢입니다.

06 답 =

$\frac{5}{9}\times\frac{3}{7}\times\frac{14}{15}=\frac{5\times3\times14}{9\times7\times15}=\frac{2}{9}$

$\frac{5}{12}\times\frac{8}{11}\times\frac{11}{15}=\frac{5\times8\times11}{12\times11\times15}=\frac{2}{9}$

따라서 ○ 안에 알맞은 것은 =입니다.

08 답 $\frac{1}{15}$ m²

| 문제 이해 |

직사각형의 넓이 ⇨ (가로)×(세로)

| 해결 과정 |

$\frac{1}{3}\times\frac{1}{5}=\frac{1}{3\times5}=\frac{1}{15}$

따라서 종이의 넓이는 $\frac{1}{15}$ m²입니다.

10 답 $\frac{1}{2}$

| 문제 이해 |

지수가 사용한 밀가루 ⇨ (서우가 사용한 밀가루)$\times\frac{5}{8}$

| 해결 과정 |

$\frac{4}{5}\times\frac{5}{8}=\frac{4\times5}{5\times8}=\frac{1}{2}$

따라서 지수는 전체 밀가루의 $\frac{1}{2}$만큼 사용하였습니다.

12 답 $\frac{1}{9}$ L

| 문제 이해 |

민서가 마시고 남은 물 ⇨ $\frac{16}{21}\times\left(1-\frac{5}{6}\right)$

| 해결 과정 |

민서가 마시고 남은 물은 전체의 $1-\frac{5}{6}=\frac{1}{6}$이므로

$\frac{16}{21}\times\frac{1}{6}=\frac{16\times1}{21\times6}=\frac{8}{63}$(L)입니다.

따라서 동생이 마신 물은

$\frac{8}{63}\times\frac{7}{8}=\frac{8\times7}{63\times8}=\frac{1}{9}$(L)입니다.

13 답 $\frac{15}{32}$

세 분수를 통분하면 $\frac{2}{3}=\frac{16}{24}$, $\frac{3}{4}=\frac{18}{24}$, $\frac{5}{8}=\frac{15}{24}$

이므로 가장 큰 수는 $\frac{3}{4}$이고 가장 작은 수는 $\frac{5}{8}$입니다.

따라서 두 수의 곱은 $\frac{3}{4}\times\frac{5}{8}=\frac{3\times5}{4\times8}=\frac{15}{32}$입니다.

14 답 4개

$\frac{1}{6}\times\frac{1}{\square}=\frac{1}{6\times\square}$이므로 $\frac{1}{30}<\frac{1}{6\times\square}$입니다.

따라서 $30>6\times\square$이므로 □ 안에 들어갈 수 있는 자연수는 1, 2, 3, 4의 4개입니다.

15 답 $\frac{11}{48}$

어떤 수를 □라고 하면 $\square-\frac{1}{4}=\frac{8}{12}$입니다.

$\square=\frac{8}{12}+\frac{1}{4}=\frac{8}{12}+\frac{3}{12}=\frac{11}{12}$

따라서 바르게 계산한 값은 $\frac{11}{12}\times\frac{1}{4}=\frac{11}{48}$입니다.

16 답 $\frac{1}{20}$

예림이네 반 학생 중에서 수학을 좋아하는 여학생은

전체의 $\frac{2}{5}\times\frac{1}{2}=\frac{1}{5}$입니다.

따라서 수학을 좋아하는 안경 쓴 여학생은 예림이네 반 학생 전체의 $\frac{1}{5}\times\frac{1}{4}=\frac{1}{20}$입니다.

06 (분수)×(분수)

p. 29~31

> 따라 푸는 서술형

01 $2\frac{2}{5}$	02 $4\frac{1}{2}$	03 $4\frac{1}{6}$
04 $4\frac{1}{5}$	05 44	06 11 cm^2

> 따라 푸는 문장제 서술형

07 $1\frac{1}{2}$	08 4 km	09 $6\frac{2}{7}$
10 15 m	11 81	12 800 cm^2

> 스스로 푸는 서술형

13 >	14 4개	15 $8\frac{8}{15}$
16 $11\frac{11}{15}$ cm^2		

02 답 $4\frac{1}{2}$

㉠ $4\frac{2}{3}\times2\frac{1}{4}=\frac{14}{3}\times\frac{9}{4}=\frac{14\times9}{3\times4}=\frac{21}{2}=10\frac{1}{2}$

㉡ $2\frac{2}{5}\times2\frac{1}{2}=\frac{12}{5}\times\frac{5}{2}=\frac{12\times5}{5\times2}=6$

따라서 ㉠과 ㉡을 계산한 값의 차는

㉠$-$㉡$=10\frac{1}{2}-6=4\frac{1}{2}$입니다.

04 답 $4\frac{1}{5}$

$2\frac{1}{6}=2\frac{5}{30}$, $2\frac{2}{5}=2\frac{12}{30}$이므로

가장 큰 수는 $2\frac{2}{5}$이고 가장 작은 수는 $1\frac{3}{4}$입니다.

따라서 두 수의 곱은

$2\frac{2}{5}\times1\frac{3}{4}=\frac{12}{5}\times\frac{7}{4}=\frac{12\times7}{5\times4}=\frac{21}{5}=4\frac{1}{5}$

입니다.

06 답 11 cm^2

색칠한 부분의 가로는

$6-2\frac{7}{10}=5\frac{10}{10}-2\frac{7}{10}=3\frac{3}{10}$이므로

색칠한 부분의 넓이는

$3\frac{3}{10}\times3\frac{1}{3}=\frac{33}{10}\times\frac{10}{3}=\frac{33\times10}{10\times3}=11(cm^2)$

입니다.

08 답 4 km

| 문제 이해 |

서진이가 걸은 거리 ⇨ (영미가 걸은 거리)×$1\frac{3}{7}$

| 해결 과정 |

$2\frac{4}{5}\times1\frac{3}{7}=\frac{14}{5}\times\frac{10}{7}=\frac{14\times10}{5\times7}=4$

따라서 서진이가 걸은 거리는 4 km입니다.

10 답 15 m

| 문제 이해 |

장난감 자동차가 움직인 거리

⇨ (1분 동안 움직인 거리)×(시간)

| 해결 과정 |

$5\frac{1}{4}\times2\frac{6}{7}=\frac{21}{4}\times\frac{20}{7}=\frac{21\times20}{4\times7}=15$

따라서 장난감 자동차가 $2\frac{6}{7}$분 동안 움직인 거리는 15 m입니다.

12 답 800 cm^2

| 문제 이해 |

색종이를 붙인 부분의 넓이

⇨ (색종이 1개의 넓이)×(색종이의 개수)

| 해결 과정 |

색종이 1개의 넓이는 $6\frac{2}{3}\times6\frac{2}{3}$이고 색종이의 개수는 18장이므로 색종이를 붙인 부분의 넓이는

$6\frac{2}{3}\times6\frac{2}{3}\times18=\frac{20}{3}\times\frac{20}{3}\times18=800(cm^2)$

입니다.

13 답 >

$5\frac{3}{5}\times1\frac{3}{7}=\frac{28}{5}\times\frac{10}{7}=\frac{28\times10}{5\times7}=8$

$1\frac{4}{7}\times3\frac{2}{11}=\frac{11}{7}\times\frac{35}{11}=\frac{11\times35}{7\times11}=5$

따라서 ○ 안에 알맞은 것은 >입니다.

14 답 4개

$4\frac{3}{8}\times1\frac{1}{7}=\frac{35}{8}\times\frac{8}{7}=\frac{35\times8}{8\times7}=5$이므로

$5>\square\frac{1}{3}$입니다.

따라서 □ 안에 들어갈 수 있는 자연수는 1, 2, 3, 4의 4개입니다.

15 답 $8\frac{8}{15}$

만들 수 있는 가장 큰 대분수는 $5\frac{1}{3}$이고,

만들 수 있는 가장 작은 대분수는 $1\frac{3}{5}$입니다.

따라서 두 대분수의 곱은

$5\frac{1}{3}\times1\frac{3}{5}=\frac{16}{3}\times\frac{8}{5}=\frac{16\times8}{3\times5}=\frac{128}{15}=8\frac{8}{15}$

입니다.

16 답 $11\frac{11}{15}$ cm^2

새로 만든 직사각형의 가로는

$2\frac{2}{3}\times1\frac{1}{10}=\frac{8}{3}\times\frac{11}{10}=\frac{44}{15}$(cm)이고,

새로 만든 직사각형의 세로는

$2\frac{2}{3}\times1\frac{1}{2}=\frac{8}{3}\times\frac{3}{2}=4$(cm)입니다.

따라서 새로 만든 직사각형의 넓이는

$\frac{44}{15}\times4=\frac{44\times4}{15}=\frac{176}{15}=11\frac{11}{15}(cm^2)$입니다.

p. 32

단계별로, 문제해결 능력을 키우자!

처음 정사각형의 넓이는

$6\frac{2}{5}\times6\frac{2}{5}=\frac{32}{5}\times\frac{32}{5}=\frac{1024}{25}=40\frac{24}{25}(cm^2)$입니다.

정사각형의 각 변의 가운데 점을 이어서 만든 정사각형의 넓이는 처음 정사각형의 넓이의 $\frac{1}{2}$이므로 색칠한 정사각형의 넓이는 처음 정사각형의 넓이의 $\frac{1}{2}\times\frac{1}{2}=\frac{1}{4}$(배)입니다.

따라서 색칠한 정사각형의 넓이는

$40\frac{24}{25}\times\frac{1}{4}=\frac{1024}{25}\times\frac{1}{4}=\frac{256}{25}=10\frac{6}{25}(cm^2)$입니다.

답 $10\frac{6}{25}$ cm^2

3 ::: 합동과 대칭

07 도형의 합동

p. 35~37

> 따라 푸는 서술형

01 5, 40	**02** 7 cm, 70°	**03** 27
04 21 cm	**05** 60	**06** 75°

> 따라 푸는 문장제 서술형

07 합동	**08** 풀이 참조	**09** 다, 라
10 다, 마	**11** 맞습니다	**12** 맞습니다.

> 스스로 푸는 서술형

13 8 cm	**14** 160 cm^2	**15** 9 cm
16 서진		

02 답 7 cm, 70°

두 도형이 합동일 때 대응변의 길이와 대응각의 크기는 각각 서로 같으므로 (변 ㄱㄴ)=(변 ㅇㅅ)=7 cm

(각 ㅇㅅㅂ)=(각 ㄱㄴㄷ)=70°

04 답 21 cm

(변 ㄹㅂ)=(변 ㄱㄴ)=5 cm이고

(변 ㅁㅂ)=(변 ㄷㄴ)=7 cm입니다.

따라서 삼각형 ㄹㅁㅂ의 둘레는 9+5+7=21(cm)입니다.

06 답 75°

각 ㄹㅂㅁ의 대응각은 각 ㄱㄷㄴ입니다.

이등변삼각형은 길이가 같은 두 변에 있는 두 각의 크기가 같으므로

각 ㄱㄷㄴ은 (180°−30°)÷2=75°입니다.

따라서 각 ㄹㅂㅁ은 75°입니다.

08 답 풀이 참조

| 문제 이해 |

합동인 도형 ⇨ 모양과 크기가 같다.

| 해결 과정 |

두 도형은 서로 합동이 아닙니다.

그 이유는 두 도형은 모양은 같지만 크기가 다르기 때문입니다.

10 답 다, 마

| 문제 이해 |

원을 잘랐을 때 합동이 되는 경우

⇨ 원의 중심을 지나는 직선으로 자를 때

| 해결 과정 |

원의 중심을 지나는 직선으로 잘랐을 때 만들어지는 두 도형이 서로 합동이 됩니다.

따라서 점선을 따라 접었을 때 만들어지는 두 도형이 서로 합동이 되는 점선은 **다**, **마**입니다.

12 답 맞습니다.

| 문제 이해 |

두 원 ⇨ 모양은 항상 같으므로 크기가 같으면 합동

| 해결 과정 |

두 원의 모양은 항상 같고, 두 원의 지름이 같으면 크기도 같습니다.

따라서 지름이 같은 두 원은 서로 합동이 되므로 영미가 이야기한 것은 맞습니다.

13 답 8 cm

변 ㅁㅂ의 대응변은 변 ㄷㄹ입니다. 변 ㄱㄴ의 대응변은 변 ㅅㅇ이므로 (변 ㄱㄴ)=(변 ㅅㅇ)=10 cm입니다.

따라서 사각형 ㄱㄴㄷㄹ의 둘레가 43 cm이므로

(변 ㅁㅂ)=(변 ㄷㄹ)=43−(9+10+16)=8(cm)입니다.

14 답 160 cm^2

변 ㄱㄴ의 대응변은 변 ㅇㅁ이므로

(변 ㄱㄴ)=(변 ㅇㅁ)=10 cm입니다.

따라서 사각형 ㄱㄴㄷㄹ의 넓이는

10×16= 160(cm^2)입니다.

15 답 9 cm

(변 ㄱㄷ)=(변 ㄷㄹ)=17 cm이고

(변 ㄷㅁ)=(변 ㄱㄴ)=8 cm입니다.

따라서 선분 ㄱㅁ의 길이는

(변 ㄱㄷ)−(변 ㄷㅁ)=17−8=9(cm)입니다.

16 답 서진

두 도형을 합동이 되도록 자르면 다음과 같습니다.

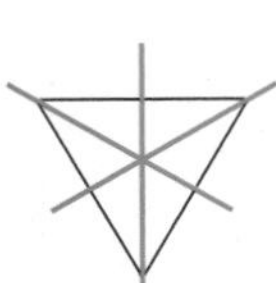

따라서 합동이 되도록 자르는 방법이 더 많은 도형을 가지고 있는 학생은 서진입니다.

08 선대칭도형

p. 39~41

> 따라 푸는 서술형

01 가, 다   02 나   03 9, 55

04 4 cm, 40°   05 32   06 32 cm

> 따라 푸는 문장제 서술형

07 2   08 풀이 참조   09 48

10 102 cm^2 11 틀립니다   12 맞습니다.

> 스스로 푸는 서술형

13 풀이 참조   14 ㉠, ㉢, ㉡   15 16 cm

16 105°

02 답 나

한 직선을 따라 접어서 완전히 겹치는 도형을 찾습니다.
도형 **나**는 오른쪽 그림과 같이 한 직선을 따라 접으면 완전히 겹치므로 선대칭도형입니다.

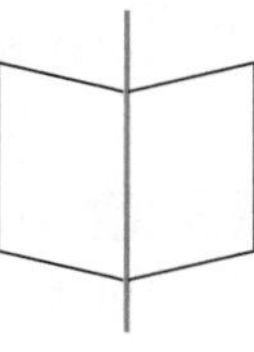

04 답 4 cm, 40°

선대칭도형에서 대응변의 길이와 대응각의 크기는 각각 같으므로
(변 ㄴㄹ)=(변 ㄷㄹ)=8÷2=4(cm),
(각 ㄱㄴㄹ)=(각 ㄱㄷㄹ)=40°입니다.

06 답 32 cm

선대칭도형에서 대응변의 길이는 같으므로
(변 ㅁㅂ)=(변 ㄱㅂ)=8÷2=4(cm)
(변 ㅁㄹ)=(변 ㄱㄴ)=5 cm
(변 ㄹㄷ)=(변 ㄴㄷ)=7 cm
따라서 주어진 도형의 둘레는
(4+5+7)×2=32(cm)입니다.

08 답 풀이 참조

| 문제 이해 |
선대칭도형
⇨ 한 직선을 따라 접어서 완전히 겹치는 도형

| 해결 과정 |
주어진 정오각형은 한 직선을 따라 접었을 때 완전히 겹쳐지므로 선대칭도형이고 대칭축을 그리면 오른쪽 그림과 같이 5개입니다.

10 답 102 cm^2

| 문제 이해 |
완성된 선대칭도형의 넓이
⇨ 주어진 사다리꼴의 넓이의 2배

| 해결 과정 |
주어진 사다리꼴의 넓이는
(7+10)×6÷2=51(cm^2)입니다.
따라서 완성된 선대칭도형의 넓이는 주어진 사다리꼴의 넓이의 2배이므로 51×2=102(cm^2)입니다.

12 답 맞습니다.

| 문제 이해 |
합동
⇨ 모양과 크기가 같아서 완전히 겹치는 도형

| 해결 과정 |
선대칭도형은 대칭축을 따라 접어서 완전히 겹치는 도형이므로 대칭축에 의해 나누어진 두 도형은 합동입니다.
따라서 유림이가 이야기한 것은 맞습니다.

13 답 풀이 참조

도형을 어떤 직선을 따라 접어도 완전히 겹치지 않으므로 선대칭도형이 아닙니다.

14 답 ㉠, ㉢, ㉡

대칭축을 각각 그리면 다음과 같습니다.

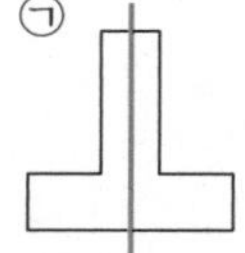

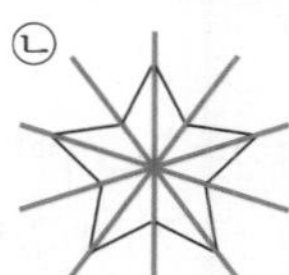

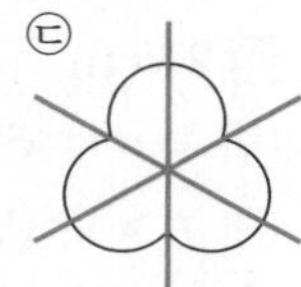

따라서 대칭축의 개수가 적은 것부터 차례대로 기호를 쓰면 ㉠, ㉢, ㉡입니다.

15 답 16 cm

(변 ㄷㄹ)=(변 ㄴㄹ)=9 cm이므로
(변 ㄴㄷ)=9+9=18(cm)입니다.
따라서 삼각형 ㄱㄴㄷ은 선대칭도형이고 둘레가 50 cm이므로
(변 ㄱㄴ)=(변 ㄱㄷ)=(50−18)÷2=16(cm)입니다.

16 답 105°

각 ㄷㅇㅅ의 대응각은 각 ㄷㄹㅁ이므로
(각 ㄷㅇㅅ)=(각 ㄷㄹㅁ)입니다.
사각형의 네 각의 크기의 합은 360°이므로
(각 ㄷㄹㅁ)=360°−(90°+90°+75°)=105°
따라서 각 ㄷㅇㅅ은 105°입니다.

09 점대칭도형

p. 43~45

> 따라 푸는 서술형

01 ㄹ **02** ㅁ **03** 5, 60
04 11 cm, 100° **05** 76
06 46 cm

> 따라 푸는 문장제 서술형

07 10 **08** 32 cm **09** 14
10 70 cm^2 **11** 틀립니다 **12** 틀립니다.

> 스스로 푸는 서술형

13 풀이 참조 **14** 2개 **15** 12 cm
16 116°

02 답 ㅁ
한 점을 중심으로 180° 돌렸을 때 처음 도형과 완전히 겹치는 문자를 찾으면 ㅁ입니다.

04 답 11 cm, 100°
점대칭도형에서 대응변의 길이와 대응각의 크기는 각각 같으므로 (변 ㄷㄹ)=(변 ㅂㄱ)=11 cm,
(각 ㄴㄷㄹ)=(각 ㅁㅂㄱ)=100°입니다.

06 답 46 cm
점대칭도형에서 대응변의 길이는 같으므로
(변 ㄴㄷ)=(변 ㅂㅅ)=3 cm
(변 ㄹㅁ)=(변 ㅇㄱ)=4 cm
(변 ㅁㅂ)=(변 ㄱㄴ)=9 cm
(변 ㅅㅇ)=(변 ㄷㄹ)=7 cm
따라서 주어진 도형의 둘레는
$(4+9+3+7)\times2=46$(cm)입니다.

08 답 32 cm
| 문제 이해 |
점대칭도형 ⇨ 대응변의 길이는 같다.
| 해결 과정 |
점대칭도형에서 대응변의 길이는 같으므로
(변 ㄴㄷ)=(변 ㄹㄱ)=6 cm
(변 ㄹㄷ)=(변 ㄴㄱ)=10 cm
따라서 방패연의 둘레는 $(10+6)\times2=32$(cm)입니다.

10 답 70 cm^2
| 문제 이해 |
점대칭도형의 넓이 ⇨ 직각삼각형의 넓이의 2배
| 해결 과정 |
(변 ㄴㄷ)=(변 ㅁㅂ)=7 cm이므로
직각삼각형 ㄱㄴㄷ의 넓이는 $7\times10\div2=35(\mathrm{cm}^2)$입니다.
따라서 주어진 도형의 넓이는 $35\times2=70(\mathrm{cm}^2)$입니다.

12 답 틀립니다.
| 문제 이해 |
선대칭도형 ⇨ 한 직선을 따라 접었을 때 완전히 겹치는 도형
점대칭도형 ⇨ 한 도형을 어떤 점을 중심으로 180° 돌렸을 때 처음 도형과 완전히 겹치는 도형
| 해결 과정 |
원, 정사각형 등은 선대칭도형도 되고 점대칭도형도 됩니다.
따라서 민서가 이야기한 것은 틀립니다.

13 답 풀이 참조
어떤 점을 중심으로 180° 돌려도 처음 도형과 완전히 겹치지 않으므로 점대칭도형이 아닙니다.

14 답 2개
선대칭도형은 C, D, E, H, I, M이고
점대칭도형은 H, I, N입니다.
따라서 선대칭도형이면서 점대칭도형인 문자는 H, I의 2개입니다.

15 답 12 cm
(선분 ㄷㅇ)=(선분 ㄱㅇ)=9 cm이므로
(선분 ㄱㄷ)=$9+9=18$(cm)입니다.
두 대각선의 길이의 합이 42 cm이므로
(선분 ㄴㄹ)=$42-18=24$(cm)입니다.
따라서 선분 ㄹㅇ의 길이는 $24\div2=12$(cm)입니다.

16 답 116°
(선분 ㄱㅁ)=(선분 ㄷㅁ)이므로
(선분 ㄱㅁ)=(선분 ㄴㅁ)입니다.
즉, 삼각형 ㄱㄴㅁ은 이등변삼각형이므로
(각 ㅁㄱㄴ)=(각 ㅁㄴㄱ)=58°
(각 ㄱㅁㄴ)=$180°-(58°+58°)=64°$
따라서 각 ㄴㅁㄷ은 $180°-64°=116°$입니다.

p. 46

단계별로, 문제해결 능력을 키우자!

삼각형 ㄱㄴㅂ과 삼각형 ㄹㅁㄷ에서 겹치는 선분은 선분 ㄷㅂ입니다.
(선분 ㄷㅇ)=(선분 ㅂㅇ)이므로
(선분 ㄷㅂ)=7+7=14(cm)입니다.
따라서 삼각형 ㄱㄴㅂ과 삼각형 ㄹㅁㄷ의 둘레는 같으므로 주어진 도형의 둘레는
52+52−14−14=76(cm)입니다.

답 76 cm

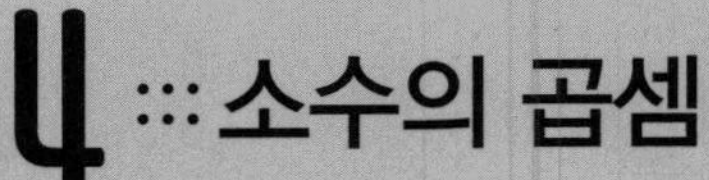

4 ::: 소수의 곱셈

10 (소수)×(자연수)

p. 49~51

> 따라 푸는 서술형

01 ㉣	**02** ㉣	**03** >
04 <	**05** 13.8	**06** 2.96 m

> 따라 푸는 문장제 서술형

07 5.6	**08** 9.8 L	**09** 12
10 19.2 kg	**11** 31.5	**12** 12.5시간

> 스스로 푸는 서술형

13 풀이 참조	**14** 4개	**15** 3.5
16 246.9 km		

02 답 ㉣

㉠, ㉡ $0.8\times3=0.8+0.8+0.8=2.4$
㉢ $0.3\times8=2.4$
㉣ $0.3+0.3+0.3=0.9$
따라서 나타내는 수가 나머지와 다른 것은 ㉣입니다.

04 답 <

$2.9\times2=\frac{29}{10}\times2=\frac{58}{10}=5.8$

$1.52\times4=\frac{152}{100}\times4=\frac{608}{100}=6.08$

따라서 ○ 안에 알맞은 것은 <입니다.

06 답 2.96 m

정팔각형의 한 변의 길이가 0.37 m이므로 정팔각형의 둘레는 $0.37\times8=\frac{37}{100}\times8=\frac{296}{100}=2.96$(m)입니다.

08 답 9.8 L

| 문제 이해 |
마신 우유의 양 ⇨ (하루에 마신 양)×(날수)

| 해결 과정 |
2주일은 14일이므로

$0.7 \times 14 = \frac{7}{10} \times 14 = \frac{98}{10} = 9.8$

따라서 서진이가 2주일 동안 마신 우유는 9.8 L입니다.

10 답 19.2 kg

| 문제 이해 |

사용한 밀가루의 양 ⇨ (하루에 사용한 양)×(날수)

| 해결 과정 |

$3.2 \times 6 = \frac{32}{10} \times 6 = \frac{192}{10} = 19.2$

따라서 이 식당에서 6일 동안 사용한 밀가루는 19.2 kg입니다.

12 답 12.5시간

| 문제 이해 |

5주일 동안 봉사 활동한 시간

⇨ (1주일의 봉사 활동 시간)×(주수)

| 해결 과정 |

2시간 30분은 2.5시간이므로

$2.5 \times 5 = \frac{25}{10} \times 5 = \frac{125}{10} = 12.5$

따라서 민주가 5주일 동안 봉사 활동을 한 시간은 12.5시간입니다.

13 답 풀이 참조

2.11은 분모가 100인 $\frac{211}{100}$로 고쳐야 하는데 $\frac{211}{10}$로 고쳐서 잘못 계산하였습니다.

따라서 바르게 계산하면

$2.11 \times 3 = \frac{211}{100} \times 3 = \frac{633}{100} = 6.33$입니다.

14 답 4개

$0.7 \times 6 = 4.2$, $2.7 \times 3 = 8.1$

따라서 $4.2 < \square < 8.1$이므로 □ 안에 들어갈 수 있는 자연수는 5, 6, 7, 8의 4개입니다.

15 답 3.5

주어진 수 카드로 만들 수 있는 가장 작은 소수 한 자리 수는 0.5이고, 가장 큰 한 자리 수는 7입니다.

따라서 두 수의 곱은 $0.5 \times 7 = 3.5$입니다.

16 답 246.9 km

$82.3 \times 3 = \frac{823}{10} \times 3 = \frac{2469}{10} = 246.9$

따라서 이 자동차가 3시간 동안 달린 거리는 246.9 km입니다.

11 (자연수)×(소수)

p. 53~55

> 따라 푸는 서술형

01 2.4	**02** 2.04	**03** <
04 <	**05** 18.9	**06** 7.84

> 따라 푸는 문장제 서술형

07 39	**08** 124 cm	**09** 민주
10 노끈	**11** 10.5	**12** 176 km

> 스스로 푸는 서술형

13 풀이 참조	**14** 민정	**15** 5.2 km
16 0.8 m		

02 답 2.04

㉠ $9 \times 0.72 = 9 \times \frac{72}{100} = \frac{648}{100} = 6.48$

㉡ $6 \times 1.42 = 6 \times \frac{142}{100} = \frac{852}{100} = 8.52$

따라서 ㉠과 ㉡을 계산한 값의 차는 $8.52 - 6.48 = 2.04$입니다.

04 답 <

$14 \times 51 = 714$, $21 \times 35 = 735$이고

곱하는 수가 $\frac{1}{10}$배가 되면 계산 결과도 $\frac{1}{10}$배가 되므로 $14 \times 5.1 = 71.4$, $21 \times 3.5 = 73.5$입니다.

따라서 ○ 안에 알맞은 것은 <입니다.

06 답 7.84

가장 큰 수는 8이고 가장 작은 수는 0.98이므로

두 수의 곱은 $8 \times 0.98 = 8 \times \frac{98}{100} = \frac{784}{100} = 7.84$

입니다.

08 답 124 cm

| 문제 이해 |

동생의 키 ⇨ (병욱이의 키)×0.8

| 해결 과정 |

$155 \times 0.8 = 155 \times \frac{8}{10} = \frac{1240}{10} = 124$

따라서 동생의 키는 124 cm입니다.

10 답 노끈

| 문제 이해 |

사용한 무게 ⇨ (1 m의 무게)×(사용한 길이)

| 해결 과정 |

사용한 리본의 무게는

$12\times0.7=12\times\frac{7}{10}=\frac{84}{10}=8.4$(g)

사용한 노끈의 무게는

$15\times0.6=15\times\frac{6}{10}=\frac{90}{10}=9$(g)입니다.

따라서 $9>8.4$이므로 사용한 무게는 노끈이 더 무겁습니다.

12 답 176 km

| 문제 이해 |

달린 거리 ⇨ (한 시간 동안 달린 거리)×(시간)

| 해결 과정 |

2시간 12분은 2.2시간이므로

$80\times2.2=80\times\frac{22}{10}=\frac{1760}{10}=176$

따라서 이 자동차가 2시간 12분을 달린 거리는 176 km입니다.

13 답 풀이 참조

0.08은 분모가 100인 $\frac{8}{100}$로 고쳐야 하는데 $\frac{8}{10}$로 고쳐서 잘못 계산하였습니다. 따라서 바르게 계산하면 $14\times0.08=14\times\frac{8}{100}=\frac{112}{100}=1.12$입니다.

14 답 민정

8×0.9에서 0.9는 1보다 작으므로 계산한 값은 8보다 작습니다.

따라서 잘못 어림한 사람은 민정입니다.

15 답 5.2 km

도서관에서 공원까지의 거리는

$2\times1.6=2\times\frac{16}{10}=\frac{32}{10}=3.2$(km)입니다.

따라서 집에서 도서관을 지나 공원까지의 거리는 $2+3.2=5.2$(km)입니다.

16 답 0.8 m

영미가 사용한 철사는

$6\times1.2=6\times\frac{12}{10}=\frac{72}{10}=7.2$(m)입니다.

따라서 영미가 가지고 있던 철사에서 사용하고 남은 철사는 $8-7.2=0.8$(m)입니다.

12 (1보다 작은 소수)×(1보다 작은 소수)

p. 57~59

> 따라 푸는 서술형

01 >	**02** <	**03** 0.144
04 0.225	**05** 0.256	**06** 0.498 m^2

> 따라 푸는 문장제 서술형

07 0.56	**08** 0.36 L	**09** 0.072
10 0.272 km	**11** 0.208	**12** 0.36 m^2

> 스스로 푸는 서술형

13 0.82	**14** 2개	**15** 0.26 kg
16 0.52 m^2		

02 답 <

$0.24\times0.8=\frac{24}{100}\times\frac{8}{10}=\frac{192}{1000}=0.192$

$0.36\times0.6=\frac{36}{100}\times\frac{6}{10}=\frac{216}{1000}=0.216$

따라서 ○ 안에 알맞은 것은 <입니다.

04 답 0.225

가장 큰 수는 0.75이고 가장 작은 수는 0.3이므로 두 수의 곱은

$0.75\times0.3=\frac{75}{100}\times\frac{3}{10}=\frac{225}{1000}=0.225$

입니다.

06 답 0.498 m^2

평행사변형의 넓이는 (밑변)×(높이)이므로

$0.83\times0.6=\frac{83}{100}\times\frac{6}{10}=\frac{498}{1000}=0.498(m^2)$

입니다.

08 답 0.36 L

| 문제 이해 |

만들 수 있는 주스의 양

⇨ (오렌지 1 kg으로 만들 수 있는 주스의 양)
×(오렌지의 양)

| 해결 과정 |

$0.4\times0.9=\frac{4}{10}\times\frac{9}{10}=\frac{36}{100}=0.36$

따라서 0.9 kg의 오렌지로 0.36 L의 주스를 만들 수 있습니다.

10 답 0.272 km

| 문제 이해 |

소리가 갈 수 있는 거리

⇨ (1초 동안 갈 수 있는 거리)×(가는 시간)

| 해결 과정 |

$0.34\times0.8=\frac{34}{100}\times\frac{8}{10}=\frac{272}{1000}=0.272$

따라서 소리는 0.8초 동안 0.272 km를 갈 수 있습니다.

12 답 0.36 m^2

| 문제 이해 |

정사각형의 넓이 ⇨ (한 변의 길이)×(한 변의 길이)

| 해결 과정 |

$0.6\times0.6=\frac{6}{10}\times\frac{6}{10}=\frac{36}{100}=0.36$

따라서 창문의 넓이는 0.36 m^2입니다.

13 답 0.82

㉠ $0.7\times0.8=\frac{7}{10}\times\frac{8}{10}=\frac{56}{100}=0.56$

㉡ $0.52\times0.5=\frac{52}{100}\times\frac{5}{10}=\frac{260}{1000}=0.26$

따라서 ㉠과 ㉡을 계산한 값의 합은 $0.56+0.26=0.82$입니다.

14 답 2개

$0.5\times0.28=\frac{5}{10}\times\frac{28}{100}=\frac{140}{1000}=0.14$

$0.42\times0.4=\frac{42}{100}\times\frac{4}{10}=\frac{168}{1000}=0.168$

따라서 $0.14<0.1\square<0.168$이므로 □ 안에 들어갈 수 있는 자연수는 5, 6의 2개입니다.

15 답 0.26 kg

반 상자는 0.5상자와 같습니다. 은비가 산 버섯의 무게는 (버섯 한 상자의 무게)×0.5이므로

$0.52\times0.5=\frac{52}{100}\times\frac{5}{10}=\frac{260}{1000}=0.26$

따라서 은비가 산 버섯의 무게는 0.26 kg입니다.

16 답 0.52 m^2

$0.8\times0.65=\frac{8}{10}\times\frac{65}{100}=\frac{520}{1000}=0.52$

따라서 필요한 벽지의 넓이는 0.52 m^2입니다.

13 (1보다 큰 소수)×(1보다 큰 소수)

p. 61~63

> 따라 푸는 서술형

01 <	**02** <	**03** 0.4
04 1.04	**05** 6.24	**06** 8.112

> 따라 푸는 문장제 서술형

07 16	**08** 40 g	**09** 23.4
10 21.6 kg	**11** 5.3	**12** 19.4 L

> 스스로 푸는 서술형

13 직사각형	**14** 4개	**15** 22.36
16 96.25 L		

02 답 <

$6.6\times2.2=\frac{66}{10}\times\frac{22}{10}=\frac{1452}{100}=14.52$

$4.8\times3.6=\frac{48}{10}\times\frac{36}{10}=\frac{1728}{100}=17.28$

따라서 ○ 안에 알맞은 것은 <입니다.

04 답 1.04

㉠ $1.36\times3.5=\frac{136}{100}\times\frac{35}{10}=\frac{4760}{1000}=4.76$

㉡ $2.4\times1.55=\frac{24}{10}\times\frac{155}{100}=\frac{3720}{1000}=3.72$

따라서 ㉠과 ㉡을 계산한 값의 차는 $4.76-3.72=1.04$입니다.

06 답 8.112

가장 큰 수는 5.2이고 가장 작은 수는 1.56이므로 두 수의 곱은

$5.2\times1.56=\frac{52}{10}\times\frac{156}{100}=\frac{8112}{1000}=8.112$

입니다.

08 답 40 g

| 문제 이해 |

녹아 있는 설탕의 양

⇨ (설탕물 1 L에 녹아 있는 설탕의 양)×(설탕물의 양)

| 해결 과정 |

$12.5\times3.2=\frac{125}{10}\times\frac{32}{10}=\frac{4000}{100}=40$

따라서 설탕물 3.2 L에 녹아 있는 설탕의 양은 40 g입니다.

10 답 21.6 kg

| 문제 이해 |

사과 상자의 무게

⇨ (사과 한 상자의 무게) × (상자의 수)

| 해결 과정 |

4상자 반은 4.5상자이므로

$4.8\times4.5=\frac{48}{10}\times\frac{45}{10}=\frac{2160}{100}=21.6$

따라서 사과 4상자 반의 무게는 21.6 kg입니다.

12 답 19.4 L

| 문제 이해 |

남아 있는 물의 양

⇨ (처음 물탱크의 물의 양) − (새어 나간 물의 양)

| 해결 과정 |

5시간 12분은 5.2시간이므로 새어 나간 물의 양은

$15.5\times5.2=\frac{155}{10}\times\frac{52}{10}=\frac{8060}{100}=80.6$(L)입니다.

따라서 남아 있는 물의 양은 $100-80.6=19.4$(L)입니다.

13 답 직사각형

평행사변형의 넓이는 $5.86\times3.2=18.752(\text{cm}^2)$,

직사각형의 넓이는 $6\times3.59=21.54(\text{cm}^2)$,

정사각형의 넓이는 $4.6\times4.6=21.16(\text{cm}^2)$입니다.

따라서 넓이가 가장 넓은 도형은 직사각형입니다.

14 답 4개

$4.2\times6.7=28.14$, $3.5\times9.3=32.55$

따라서 $28.14<\square<32.55$이므로 □ 안에 들어갈 수 있는 자연수는 29, 30, 31, 32의 4개입니다.

15 답 22.36

만들 수 있는 가장 큰 소수는 8.6이고

만들 수 있는 가장 작은 소수는 2.6입니다.

따라서 두 수의 곱은 $8.6\times2.6=22.36$입니다.

16 답 96.25 L

1분 동안 받는 물의 양은

(1분 동안 수도에서 나오는 물의 양)

−(1분 동안 새는 물의 양)이므로

$8.5-0.8=7.7$(L)입니다.

따라서 12분 30초는 12.5분이므로 이 욕조에 12분 30초 동안 수도를 틀어 물을 받으면 욕조에 있는 물의 양은 $7.7\times12.5=96.25$(L)가 됩니다.

14 곱의 소수점 위치

p. 65~67

> 따라 푸는 서술형

01 1000 **02** 1000배 **03** 0.046

04 0.1203 **05** ㉠ **06** ㉡

> 따라 푸는 문장제 서술형

07 756 **08** 26.8 kg, 268 kg

09 4.6 **10** 925 g **11** 78

12 2100점

> 스스로 푸는 서술형

13 0.2536 **14** ㉢, ㉣, ㉡, ㉠

15 서진 **16** 5518 g

02 답 1000배

5.625×㉠=562.5에서 ㉠은 100입니다.

56.25×㉡=5.625에서 ㉡은 0.1입니다.

따라서 ㉠은 ㉡의 1000배입니다.

04 답 0.1203

8.16과 12.03은 각각 소수 두 자리 수이므로

8.16×12.03의 계산 결과는 소수 네 자리 수이고

□ 안에 알맞은 수도 소수 네 자리 수이어야 합니다.

따라서 □ 안에 알맞은 수는 0.1203입니다.

06 답 ㉡

㉠ $528\times24=12672$이고

(소수 한 자리 수)×(소수 두 자리 수)는 소수 세 자리 수이므로 $52.8\times0.24=12.672$입니다.

㉡ $83\times576=47808$이고

(소수 세 자리 수)×(소수 한 자리 수)는 소수 네 자리 수이므로 $0.083\times57.6=4.7808$입니다.

따라서 바르게 계산한 것은 ㉡입니다.

08 답 26.8 kg, 268 kg

| 문제 이해 |

테니스 공 ■개의 무게 ⇨ (테니스 공 1개의 무게)×■

| 해결 과정 |

테니스 공 100개의 무게는 $0.268\times100=26.8$(kg)이고, 테니스 공 1000개의 무게는

$0.268\times1000=268$(kg)입니다.

10 답 925 g

| 문제 이해 |

1 kg ⇨ 1000 g

| 해결 과정 |

1 kg은 1000 g이므로 이 밀가루 1 kg에 들어 있는 탄수화물 성분은 0.925×1000=925(g)입니다.

12 답 2100점

| 문제 이해 |

포인트 점수 ⇨ (사용한 돈)×0.1

| 해결 과정 |

예림이가 어제와 오늘 사용한 돈은 모두 12000+9000=21000(원)입니다.
따라서 예림이가 얻은 포인트 점수는 21000×0.1=2100(점)입니다.

13 답 0.2536

어떤 수를 □라고 하면 □×100=25.36입니다.
□에서 소수점을 오른쪽으로 2칸 옮기면 25.36이 되므로 25.36에서 소수점을 왼쪽으로 2칸 옮긴 수가 □입니다.
따라서 어떤 수는 0.2536입니다.

14 답 ㉢, ㉣, ㉡, ㉠

23×5=115이므로

㉠ 23×0.5=11.5 ㉡ 2.3×0.5=1.15

㉢ 0.23×0.05=0.0115 ㉣ 0.23×0.5=0.115

따라서 계산 결과가 작은 것부터 차례대로 기호를 쓰면 ㉢, ㉣, ㉡, ㉠입니다.

15 답 서진

수에 0.1, 0.01, 0.001을 곱하면 0.1, 0.01, 0.001의 소수점 아래 자리 수만큼 곱의 소수점이 왼쪽으로 옮겨집니다. 8.4×0.1=0.84이므로 영미는 잘못 계산하였습니다.
따라서 바르게 계산한 사람은 서진입니다.

16 답 5518 g

사탕의 무게는 3.5×1000=3500(g)이고
초콜릿의 무게는 20.18×100=2018(g)입니다.
따라서 민정이가 산 사탕과 초콜릿의 무게는 모두 3500+2018=5518(g)입니다.

p. 68

단계별로, 문제해결 능력을 키우자!

두 소수의 자연수 부분에 알맞은 수는 가장 작은 수인 1과 두 번째로 작은 수인 3입니다.
소수점 아래에 알맞은 수는 남은 수인 4, 7입니다.
자연수 부분과 소수점 아래에 알맞은 수로 곱셈식을 만들어 계산하면
1.4×3.7=5.18, 1.7×3.4=5.78입니다.
따라서 가장 작은 곱셈식을 만들었을 때의 곱은 5.18입니다.

답 5.18

5 ::: 직육면체

15 직육면체와 정육면체

p. 71~73

> 따라 푸는 서술형

01 ㉢	02 ㉡	03 꼭짓점
04 ㉠: 꼭짓점, ㉡: 모서리, ㉢: 면		
05 26	06 10	

> 따라 푸는 문장제 서술형

07 유나	08 희진	09 직육면체
10 풀이 참조	11 64	12 72 cm

> 스스로 푸는 서술형

13 5	14 풀이 참조	15 ㉡
16 8 cm		

02 답 ㉡

정사각형 6개로 둘러싸인 도형을 정육면체라고 합니다.
따라서 정육면체는 ㉡입니다.

04 답 ㉠: 꼭짓점, ㉡: 모서리, ㉢: 면

정육면체에서 모서리와 모서리가 만나는 점인 ㉠은 꼭짓점, 면과 면이 만나는 선분인 ㉡은 모서리, 선분으로 둘러싸인 부분인 ㉢은 면입니다.

06 답 10

정육면체에서 면은 6개이므로 ㉠=6, 모서리는 12개이므로 ㉡=12, 꼭짓점은 8개이므로 ㉢=8입니다.
따라서 ㉠+㉡−㉢=6+12−8=10입니다.

08 답 희진

| 문제 이해 |
직육면체 ⇨ 직사각형 6개로 둘러싸인 도형
정육면체 ⇨ 정사각형 6개로 둘러싸인 도형

| 해결 과정 |
직육면체에서 모서리의 길이는 서로 다릅니다. 정육면체에서 면의 모양은 정사각형으로 모양과 크기가 모두 같습니다.
따라서 바르게 설명한 사람은 희진입니다.

10 답 풀이 참조

| 문제 이해 |
정육면체 ⇨ 정사각형 6개로 둘러싸인 도형

| 해결 과정 |
정육면체는 정사각형 6개로 둘러싸인 도형입니다. 주어진 도형은 정사각형이 아닌 직사각형으로 둘러싸인 도형이므로 정육면체라고 할 수 없습니다.

12 답 72 cm

| 문제 이해 |
정육면체의 모서리 ⇨ 모든 모서리의 길이가 같다.

| 해결 과정 |
정육면체에는 12개의 모서리가 있으며 모서리의 길이는 모두 같습니다.
따라서 정육면체의 모든 모서리의 길이의 합은
6×12=72(cm)입니다.

13 답 5

직육면체에서 보이는 면은 3개이므로 ㉠=3,
보이는 모서리는 9개이므로 ㉡=9,
보이는 꼭짓점은 7개이므로 ㉢=7입니다.
따라서 ㉠+㉡−㉢=3+9−7=5입니다.

14 답 풀이 참조

두 도형은 직육면체와 정육면체입니다.
직육면체와 정육면체의 공통점은 면이 6개, 모서리가 12개, 꼭짓점이 8개라는 것입니다.
직육면체와 정육면체의 차이점은 직육면체는 면의 모양이 직사각형이고 정육면체는 면의 모양이 정사각형이라는 것입니다.

15 답 ㉡

직육면체에서 서로 평행한 모서리의 길이는 같고 서로 마주 보는 면의 모양과 크기도 같습니다.
직육면체를 이루는 면은 정사각형이 아닐 수도 있으므로 모든 직육면체는 정육면체라고 할 수 없습니다.
따라서 직육면체에 대한 설명 중 잘못 설명한 것은 ㉡입니다.

16 답 8 cm

직육면체에서 길이가 같은 모서리는 4개씩 3쌍이 있으므로 직육면체의 모든 모서리의 길이의 합은
(8+10+6)×4=24×4=96(cm)입니다.
정육면체의 모든 모서리의 길이의 합이 96 cm이므로 한 모서리의 길이는 96÷12=8(cm)입니다.

16 직육면체의 성질과 겨냥도

p. 75~77

> 따라 푸는 서술형

01 면 ㄱㅁㅇㄹ

02 면 ㄱㄴㄷㄹ, 면 ㄷㅅㅇㄹ, 면 ㅂㅅㅇㅁ, 면 ㄴㅂㅁㄱ

03 ㉡

04 ㉡ 05 27 06 60 cm

> 따라 푸는 문장제 서술형

07 20 08 18 cm 09 예슬

10 나리 11 점선 12 풀이 참조

> 스스로 푸는 서술형

13 2 14 면 ㄱㅁㅂㄴ, 면 ㄹㅇㅅㄷ

15 지호 16 3가지

02 답 **면 ㄱㄴㄷㄹ, 면 ㄷㅅㅇㄹ, 면 ㅂㅅㅇㅁ, 면 ㄴㅂㅁㄱ**

면 ㄴㅂㅅㄷ과 수직인 면은 면 ㄱㄴㄷㄹ, 면 ㄷㅅㅇㄹ, 면 ㅂㅅㅇㅁ, 면 ㄴㅂㅁㄱ입니다.

04 답 ㉡

겨냥도는 보이는 모서리는 실선으로, 보이지 않는 모서리는 점선으로 그려야 합니다.
따라서 겨냥도를 바르게 그린 것은 ㉡입니다.

06 답 60 cm

보이는 모서리의 길이는 5 cm가 3개, 7 cm가 3개, 8 cm가 3개입니다.
따라서 직육면체에서 보이는 모서리의 길이의 합은 $(5+7+8)\times3=20\times3=60$(cm)입니다.

08 답 18 cm

| 문제 이해 |

면 ㄱㅁㅇㄹ과 평행한 면 ⇨ 면 ㄴㅂㅅㄷ

| 해결 과정 |

면 ㄱㅁㅇㄹ과 평행한 면은 면 ㄴㅂㅅㄷ입니다.
면 ㄴㅂㅅㄷ의 네 변의 길이는 5 cm, 4 cm, 5 cm, 4 cm이므로 모서리의 길이의 합은 $5+4+5+4=18$(cm)입니다.

10 답 나리

| 문제 이해 |

겨냥도 그리기
⇨ 보이는 모서리는 실선, 보이지 않는 모서리는 점선

| 해결 과정 |

겨냥도는 보이는 모서리는 실선으로, 보이지 않는 모서리는 점선으로 그려야 합니다. 직육면체의 면은 6개이고 보이지 않는 면은 3개입니다. 또한 직육면체의 꼭짓점은 8개이고 보이는 꼭짓점은 7개입니다.
따라서 잘못 설명한 친구는 나리입니다.

12 답 풀이 참조

| 문제 이해 |

겨냥도 그리기
⇨ 보이는 모서리는 실선, 보이지 않는 모서리는 점선

| 해결 과정 |

겨냥도는 보이는 모서리는 실선으로, 보이지 않는 모서리는 점선으로 그려야 합니다.
주어진 겨냥도는 보이는 부분은 점선으로, 보이지 않는 부분은 실선으로 그렸기 때문에 잘못되었습니다.

13 답 2

직육면체의 겨냥도에서 보이지 않는 꼭짓점은 1개이므로 ㉠$=1$, 한 밑면과 수직인 면은 4개이므로 ㉡$=4$, 보이지 않는 모서리는 3개이므로 ㉢$=3$입니다.
따라서 ㉠$+$㉡$-$㉢$=1+4-3=2$입니다.

14 답 **면 ㄱㅁㅂㄴ, 면 ㄹㅇㅅㄷ**

면 ㄱㄴㄷㄹ에 수직인 면은 면 ㄱㅁㅂㄴ, 면 ㄴㅂㅅㄷ, 면 ㄹㅇㅅㄷ, 면 ㄱㅁㅇㄹ입니다.
또한 면 ㄴㅂㅅㄷ에 수직인 면은 면 ㄱㅁㅂㄴ, 면 ㅁㅂㅅㅇ, 면 ㄹㅇㅅㄷ, 면 ㄱㄴㄷㄹ입니다.
따라서 면 ㄱㄴㄷㄹ과 면 ㄴㅂㅅㄷ에 동시에 수직인 면은 면 ㄱㅁㅂㄴ, 면 ㄹㅇㅅㄷ입니다.

15 답 지호

직육면체의 한 꼭짓점에서 만나는 면은 모두 3개이고 한 꼭짓점을 중심으로 모두 직각입니다.
또한 직육면체의 두 밑면은 계속 늘여도 만나지 않으며 서로 평행합니다.
따라서 직육면체에 대해 잘못 설명한 사람은 지호입니다.

16 답 3가지

직육면체에는 모양과 크기가 같은 면이 2개씩 3쌍이 있습니다.
따라서 모양과 크기가 같은 면끼리 같은 색을 칠하려면 3가지 색이 필요합니다.

17 정육면체와 직육면체의 전개도

p. 79~81

> 따라 푸는 서술형

01 ㉢ 02 ㉠, ㉡
03 면 바
04 면 가, 면 다, 면 마, 면 바
05 면 ㄱㄴㄷㅎ 06 면 ㅁㅂㅅㅇ

> 따라 푸는 문장제 서술형

07 4 08 7 cm
09 건호 10 인호

> 스스로 푸는 서술형

11 면 다, 면 바 12 5
13 풀이 참조 14 풀이 참조

02 답 ㉠, ㉡

㉢은 접었을 때 겹치는 면이 있으므로 정육면체의 전개도가 될 수 없습니다. 따라서 정육면체의 전개도가 될 수 있는 것은 ㉠, ㉡입니다.

04 답 면 가, 면 다, 면 마, 면 바

전개도를 접었을 때 면 **라**와 평행한 면인 면 **나**를 제외한 나머지 면은 모두 면 **라**와 수직입니다. 따라서 면 **라**와 수직인 면은 면 **가**, 면 **다**, 면 **마**, 면 **바**입니다.

06 답 면 ㅁㅂㅅㅇ

면 ㅍㅎㅋㅌ과 평행한 면은 면 ㅍㅎㅋㅌ과 마주 보는 면입니다.
따라서 면 ㅍㅎㅋㅌ과 평행한 면은 면 ㅁㅂㅅㅇ입니다.

08 답 7 cm

| 문제 이해 |
점 ㅍ과 만나는 점 ⇨ 점 ㅋ
점 ㅎ과 만나는 점 ⇨ 점 ㅊ

| 해결 과정 |
직육면체의 전개도를 접으면 점 ㅍ과 점 ㅋ, 점 ㅎ과 점 ㅊ이 만나므로 선분 ㅍㅎ은 선분 ㅋㅊ과 만납니다.
따라서 선분 ㅍㅎ의 길이는 선분 ㅋㅊ의 길이와 같고 7 cm입니다.

10 답 인호

| 문제 이해 |
직육면체 전개도
⇨ 직육면체의 모서리를 잘라서 펼쳐 놓은 그림

| 해결 과정 |
직육면체의 전개도가 맞는지 확인하려면 모양과 크기가 같은 면이 3쌍인지 확인해야 합니다.
따라서 잘못 설명한 사람은 인호입니다.

11 답 면 다, 면 바

면 **가**와 평행한 면은 면 **마**이므로 면 **가**는 면 **마**를 제외한 면 **나**, 면 **다**, 면 **라**, 면 **바**와 수직입니다.
면 **나**와 평행한 면은 면 **라**이므로 면 **나**는 면 **라**를 제외한 면 **가**, 면 **다**, 면 **마**, 면 **바**와 수직입니다.
따라서 면 **가**, 면 **나**에 동시에 수직인 면은 면 **다**, 면 **바**입니다.

12 답 5

면 ㉠에 평행한 면은 면 ㉠과 마주 보는 면이므로 면 ㉠과 평행한 면의 눈의 수는 2입니다. 면 ㉡에 평행한 면은 면 ㉡과 마주 보는 면이므로 면 ㉡과 평행한 면의 눈의 수는 3입니다.
따라서 면 ㉠에 평행한 면의 눈과 면 ㉡에 평행한 면의 눈의 수의 합은 $2+3=5$입니다.

13 답 풀이 참조

직육면체의 전개도는 접었을 때 만나는 모서리의 길이가 같아야 합니다.
주어진 그림은 접었을 때 만나는 모서리의 길이가 같지 않으므로 직육면체의 전개도가 아닙니다.

14 답 풀이 참조

무늬가 있는 3개의 면이 한 꼭짓점에서 만나도록 전개도에 무늬를 그려 넣으면 다음과 같습니다.

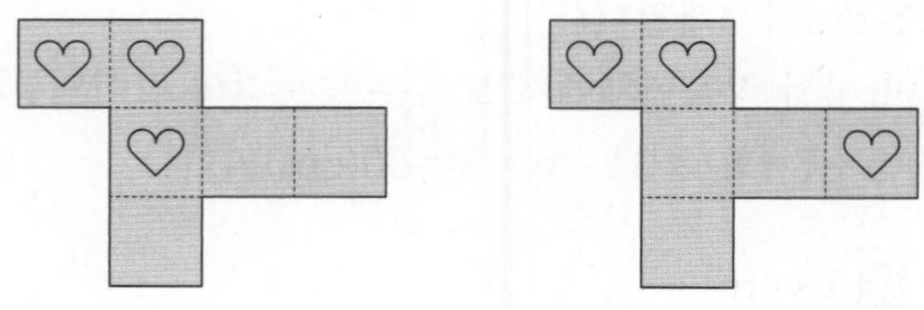

p. 82

단계별로, 문제해결 능력을 키우자!

직육면체에서 길이가 같은 모서리는 4개씩 3쌍이 있으므로 직육면체의 모든 모서리의 길이의 합은
$(12+7+8)\times 4=108$(cm)입니다.
정육면체의 모서리는 모두 12개이고 그 길이가 모두 같습니다. 따라서 정육면체의 한 모서리의 길이는
$108\div 12=9$(cm)입니다.

답 9 cm

6 ::: 평균과 가능성

18 평균 구하기

p. 85~87

> 따라 푸는 서술형

01 12, 12	**02** 40번
03 슬기, 보람, 준기	**04** 현주, 보영, 정무
05 60	**06** 650권

> 따라 푸는 문장제 서술형

07 은수	**08** 보경
09 3	**10** 2종류

> 스스로 푸는 서술형

11 27명	**12** 민주
13 제빵, 발레	**14** 36번

02 답 40번

(평균)$=\dfrac{30+40+40+50}{4}=\dfrac{160}{4}=40$(번)

따라서 영미의 줄넘기 기록의 평균은 40번입니다.

04 답 **현주, 보영, 정무**

(평균)$=\dfrac{152.5+163.7+165+145.5+153.3}{5}$

$=156$(cm)

따라서 민주네 모둠에서 키가 평균보다 작은 친구는 현주, 보영, 정무입니다.

06 답 650권

(평균)$=\dfrac{495+670+720+715}{4}=650$(권)

따라서 5월까지 판매량의 평균이 4월까지 판매량의 평균보다 많으려면 5월에 책을 650권보다 많이 팔아야 합니다.

08 답 **보경**

| 문제 이해 |

평균 ⇨ (자료 값의 합)÷(자료의 수)

| 해결 과정 |

(평균)=(자료 값의 합)÷(자료의 수)이며 자료의 값 중에서 가장 많이 나오는 수가 아닐 수도 있습니다. 또한 평균은 자료의 값을 고르게 맞추면 구할 수 있습니다.

따라서 평균에 대해 잘못 설명한 사람은 보경입니다.

10 답 **2종류**

| 문제 이해 |

음식 판매량의 평균 ⇨ $\dfrac{30+18+56+34+27}{5}$

| 해결 과정 |

음식 판매량의 평균은

$\dfrac{30+18+56+34+27}{5}=33$(그릇)입니다.

따라서 재료 준비를 더 많이 해야 하는 음식은 다, 라로 모두 2종류입니다.

11 답 **27명**

각 학급의 학생 수가 27, 32, 25, 28, 23이므로 평균은 $(27+32+25+28+23)\div5=27$입니다.

따라서 한 학급당 27명의 학생이 있다고 말할 수 있습니다.

12 답 **민주**

민주의 독서량의 평균은

$(12+10+8+6)\div4=9$(권)입니다.

지민이의 독서량의 평균은

$(6+7+10+9)\div4=8$(권)입니다.

민주의 독서량의 평균은 9권이고 지민이의 독서량의 평균은 8권이므로 민주가 책을 더 많이 읽었다고 볼 수 있습니다.

13 답 **제빵, 발레**

방과 후 수업의 평균 학생 수는

$(24+23+18+15)\div4=20$(명)입니다.

따라서 다음 학기에 개설하지 않는 수업은 20명보다 학생 수가 적은 제빵, 발레입니다.

14 답 **36번**

정은이가 4일 동안 넘은 줄넘기 횟수의 평균은

$(30+34+42+38)\div4=36$(번)입니다.

정은이가 5일 동안 넘은 줄넘기 횟수의 평균이 4일 동안 넘은 줄넘기 횟수의 평균보다 높으려면 정은이는 다섯 번째 날 줄넘기 횟수는 적어도 36번입니다.

19 평균 이용하기

p. 89~91

> 따라 푸는 서술형

01 9　**02** 12　**03** 미란이네
04 영미네 가족　**05** 14.5　**06** 19번

> 따라 푸는 문장제 서술형

07 모둠 2　**08** 모둠 3　**09** 55
10 98 cm

> 스스로 푸는 서술형

11 19자루　**12** 25년　**13** 17개
14 국어 성적: 90점, 수학 성적: 100점

02 답 12

네 수의 평균이 16이므로 네 수의 합은
$16\times4=64$입니다.
따라서 $14+17+21+\square=64$이므로
$\square=64-(14+17+21)=12$입니다.

04 답 **영미네 가족**

서진이네 가족의 평균 걸음 수는
$(2350+2510+3240)\div3=2700$(걸음)
영미네 가족의 평균 걸음 수는
$(2300+1880+4000+2800)\div4=2745$(걸음)
따라서 평균 걸음 수가 더 많은 가족은 영미네 가족입니다.

06 답 **19번**

소연이의 줄넘기 기록의 평균이 15번이므로 다섯 번의 기록의 총합은 $15\times5=75$(번)입니다.
따라서 5회의 줄넘기 기록은
$75-(7+16+24+9)=19$(번)입니다.

08 답 **모둠** 3

| 문제 이해 |
자료의 수가 다른 두 집단의 비교 ⇨ 평균을 이용한다.

| 해결 과정 |
(모둠 1의 평균 칭찬 딱지 개수)$=78\div6=13$(개)
(모둠 2의 평균 칭찬 딱지 개수)$=56\div4=14$(개)
(모둠 3의 평균 칭찬 딱지 개수)$=75\div5=15$(개)
따라서 칭찬왕 모둠은 평균 칭찬 딱지 개수가 가장 많은 모둠 3입니다.

10 답 98 cm

| 문제 이해 |
자료 값의 합 ⇨ (평균)×(자료의 수)

| 해결 과정 |
(두 번째까지 멀리뛰기 기록의 합)$=86\times2=172$(cm)
(세 번째까지 멀리뛰기 기록의 합)$=90\times3=270$(cm)
따라서 대훈이는 세 번째에서 $270-172=98$(cm) 뛰었습니다.

11 답 **19자루**

풍산 문구점에서 판매한 연필 수의 평균은
$(5+12+8+23)\div4=12$(자루)입니다.
지학 문구점이 5일 동안 판매한 연필 수의 평균도 12자루이므로 지학 문구점에서 5일 동안 판매한 연필의 수는 $12\times5=60$(자루)입니다.
따라서 지학 문구점에서 3일에 판매한 연필의 수는
$60-(9+5+10+17)=19$(자루)입니다.

12 답 **25년**

(남자 참가자의 경력의 합)$=15\times24=360$(년)
(여자 참가자의 경력의 합)$=10\times26.5=265$(년)
따라서 전체 참가자는 $15+10=25$(명)이고
전체 참가자의 경력의 합은 $360+265=625$(년)
이므로 전체 참가자의 평균 경력은
$625\div25=25$(년)입니다.

13 답 **17개**

3회까지의 평균이 85개이므로
(3회까지 기록의 합)$=85\times3=255$(개)이고
4회까지의 평균이 88개이므로
(4회까지 기록의 합)$=88\times4=352$(개)입니다.
(3회까지 기록의 합)$-$(1, 2회의 기록)
$=$(3회의 기록)
이므로 (3회의 기록)$=255-(85+90)=80$(개)
입니다.
(4회의 기록)
$=$(4회까지 기록의 합)$-$(3회까지 기록의 합)
이므로 (4회의 기록)$=352-255=97$(개)입니다.
따라서 가장 높은 기록은 97개, 가장 낮은 기록은 80개이므로 두 기록의 차는 $97-80=17$(개)입니다.

14 **답 국어 성적: 90점, 수학 성적: 100점**

평균이 89점이므로 성적의 총합은 $89 \times 5 = 445$(점)입니다.

(국어 성적)+(수학 성적)
$= 445 - (78 + 90 + 87) = 190$
이므로 수학 성적을 □라고 하면
(국어 성적)$=$□-10입니다.
$190 =$□$+$□-10, □$+$□$=200$, □$=100$입니다.
따라서 국어 성적은 90점, 수학 성적은 100점입니다.

20 일이 일어날 가능성

p. 93~95

> 따라 푸는 서술형

01 불가능하다 **02** 반반이다 **03** $\frac{1}{2}$
04 0 **05** ㉠ **06** ㉡

> 따라 푸는 문장제 서술형

07 반반이다 **08** ~일 것 같다
09 $\frac{1}{2}$ **10** $\frac{1}{2}$
11 ㉡ **12** ㉠

> 스스로 푸는 서술형

13 칠하지 않는다. **14** ㉠
15 풀이 참조 **16** 2개

02 **답 반반이다**

내년 7월은 올해 7월보다 비가 많이 올 수도 있고 그렇지 않을 수도 있습니다.
따라서 올해 7월보다 내년 7월에 비가 더 많이 올 가능성을 말로 표현하면 '반반이다'입니다.

04 **답** 0

놀이공원의 놀이기구는 10가지이고, 미진이가 구입한 이용권으로 탈 수 있는 놀이기구는 5가지입니다.
따라서 미진이가 10개의 놀이기구를 모두 타는 것은 불가능하므로 가능성을 수로 표현하면 0입니다.

06 **답** ㉡

㉠ 꺼낸 구슬이 빨간색일 가능성은 $\frac{1}{2}$
㉡ 꺼낸 구슬이 빨간색 또는 노란색일 가능성은 1
따라서 가능성이 더 높은 것은 ㉡입니다.

08 **답 ~일 것 같다**

| 문제 이해 |
가능성 ⇨ 어떠한 상황에서 특정한 일이 일어나길 기대할 수 있는 정도

| 해결 과정 |
봄, 여름, 가을은 4계절 중 3개의 계절이므로 좋아하는 계절을 조사했을 때 좋아하는 계절이 봄 또는 여름 또는 가을일 가능성을 말로 표현하면 '~일 것 같다'입니다.

10 답 $\frac{1}{2}$

| 문제 이해 |

호박이 아닌 채소의 개수 ⇨ 2개

| 해결 과정 |

상자 안의 채소 4개 중에서 호박이 아닌 채소의 개수는 2개입니다.

따라서 상자에서 채소를 한 개 꺼낼 때 호박이 나오지 않을 가능성은 $\frac{1}{2}$입니다.

12 답 ㉠

| 문제 이해 |

가능성이 1 ⇨ 확실하다.

| 해결 과정 |

학생은 5명이고 혈액형은 A형, B형, O형, AB형으로 4가지이므로 5명의 학생 중 혈액형이 같은 학생이 있을 가능성은 확실하므로 수로 나타내면 1입니다.

100점 만점인 시험에서 120점을 맞는 것은 불가능하므로 수로 나타내면 0입니다.

따라서 일이 일어날 가능성이 1인 경우는 ㉠입니다.

13 답 칠하지 않는다.

주사위의 눈의 수는 1부터 6까지이므로 주사위를 굴렸을 때 주사위 눈의 수가 9의 배수일 가능성은 0입니다.

따라서 회전판을 돌릴 때 화살이 빨간색에 멈출 가능성이 0이어야하므로 회전판에 빨간색 칸은 칠하지 않아야합니다.

14 답 ㉠

㉠ 노란 공 3개가 들어 있는 주머니에서 파란 공을 뽑을 가능성은 0

㉡ 빨간 공 1개와 파란 공 1개가 들어 있는 주머니에서 파란 공을 뽑을 가능성은 $\frac{1}{2}$

㉢ 빨간 공 1개, 파란 공 1개, 노란 공 2개가 들어 있는 주머니에서 노란 공을 뽑을 가능성은 $\frac{1}{2}$

㉣ 동전을 던져 숫자 면이 나올 가능성은 $\frac{1}{2}$

따라서 가능성이 다른 것은 ㉠입니다.

15 답 풀이 참조

1월부터 12월까지 열두 달이 있으므로 13명이 있을 때 서로 같은 달에 생일이 있는 사람이 있을 가능성은 확실합니다.

따라서 잘못 말한 친구는 지민이고, 바르게 고치면 13명이 있을 때 서로 같은 달에 생일이 있는 사람이 있을 가능성은 확실합니다.

16 답 2개

파란 구슬을 꺼낼 가능성을 수로 나타내면 $\frac{1}{2}$이므로 4개의 구슬 중 파란 구슬은 2개입니다.

따라서 파란 구슬이 아닌 구슬은 $4-2=2$(개)입니다.

p. 96

단계별로, 문제해결 능력을 키우자!

세 모둠 전체 학생들의 기록의 합은

$4\times17+5\times14+6\times15=228$(초)입니다.

전체 학생 수는 $4+5+6=15$(명)입니다.

따라서 세 모둠 전체 학생들의 100 m 달리기 평균 기록은

$\frac{228}{15}=15.2$(초)입니다.

답 15.2초